COLLET

BEAUTE DE LA
NORMANDIE

Textes de
NOËL BROELEC

MINERVA

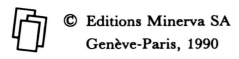

Les illustrations de ce volume
sont dues aux photographes de
L'AGENCE PIX, PARIS:

Arthaud 4, 9b, 28a, 37c, 44a, b, 66b, 73b, 77b, 82, 90a-91a, 91c, 96a, b, 114a, 123, 124, 127a, b, 128a — Baciocchi 38b — Bérenger 131a — Blond 136a — Canavesio 86b — Desheulles 75c, 114b — Détorquat 95b — Dichter-Lourié 6a, b — DPA 39b, 47b, 63a, 117a — Fagot 67a, 120c — Gand 94, 95a — Gontscharoff 97a, b — D'Hérouville 21b, 46, 121a — Jolivalt 41, 43 — Labbé 5a, 11c, 14a, 127c, 128c, 129b, 133b, 134-135, 136b, 137b, 142a, b, 143a, b — La Cigogne 9a, 12a, 13a, 14b, 26b, 27b, 34, 35a, 37a, 40a, b, 42a, 45a, 55a, 63b, 67b, 70b, 88-89, 98b, 102d, 110b, 126a, 128b, 129a — De Laubier 25b, 85a, b — Ledanois 55b, 100d — Lérault 2a, 3, 7a, 10a, 13b, 18b, 22a, b, 23, 24a, d, 25a, 32, 33c, 35b, 51b, c, 52-53, 58-59, 60a, b, 65a, b, 66a, 71b, 72c, 74b, c, 75a, b, 77a, 83a, b, c, d, 84, 101b, 102c, 107a, b, 117b, 118-119, 131b, 133a, 138b, 140 — Leroy 9c, 70a, 86a, 92b, 98a, d, 102b, 104a, 106, 110c — Magnin 39a, 100a, c, — Moes 42b, 49a, b, 54b, 64, 71a, 76a, 92a, 93b, 109c, 113a, c, 120b, 126b, 132a, b — Perdereau-Thomas, gardes, 31a, 33a, b, 36a, b, 73a, 78-79, 103, 112a, b, 139, 141a, b, 144 — Pix 1, 6c, 18a, 20a, b, 21a, 28c, 29, 48a, 61a, b, 62, 68a, 72a, 76b, 86c, 87a, b, 91b, 93a, 121b, 122a, b — Planchard 24b, 48b, 108a, 109a — Revault 19, 28b, 37b — Riccio 72b, 90b, 100b, 102a, 108b, 109b, 125a, 137a — Téoulé 2b, 5c, 7b, 8, 10a, b, 11b, 15, 16a, 21c, 24c, 26a, 27a, c, 30a, b, 31b, 45b, 47a, 50, 51a, 54a, 56a, b, c, 57, 68a, b, 69b, 70c, 74a, 80-81, 98c, 99, 101a, 104b, 105, 110a, 111a, b, 115, 116, 138a — Tuppin 12b — Van de Kerkove 113b — Viard 16b, 17, 38a — Zen 120a, 125b, 130.

Carte: Madeleine Benoit-Guyod

*En couverture: 1/ Une maison ancienne à Vernon. 2/ Un
aspect de Honfleur.
En pages de gardes: une maison normande (Parc de
Brotonne).
En pages de titre: les falaises d'Etretat. Sur ces deux
pages: les tuiles vernissées du château de Victot-Pontfol
(1). Une ferme dans le Marais Vernier (2). Verger et
pommiers en fleurs (3).*

Achevé d'imprimer le 6 février 1992
par G. Canale & C. S.p.A. - Borgaro T.se - Turin

ISBN: 2-8307-0126-7

Imprimé en Italie

1 △   2 ▽

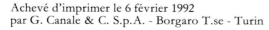

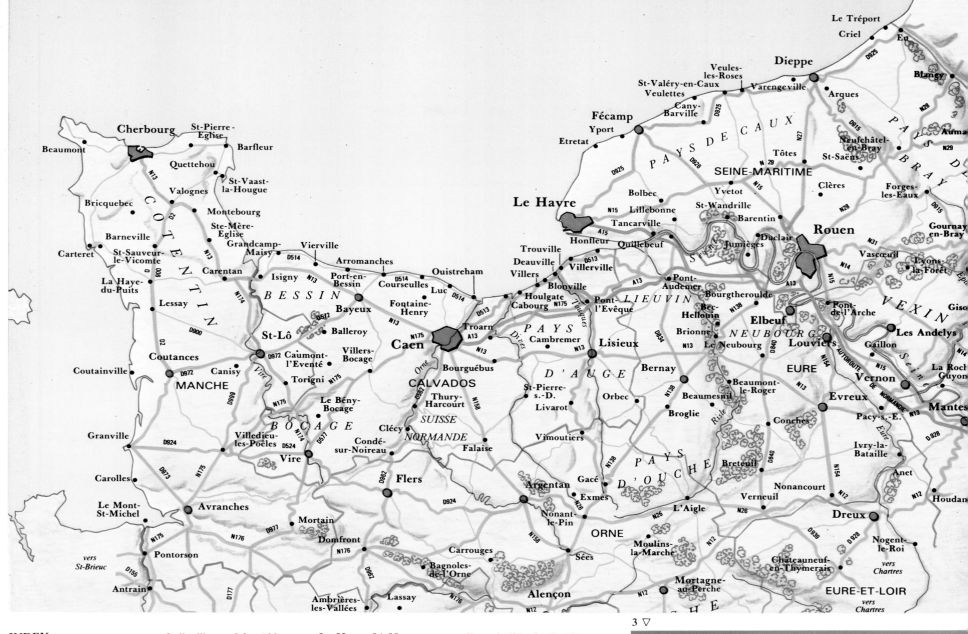

3 ▽

VERNON ET SES ENVIRONS

Des armoires rustiques au décor savoureux, des maisons à pans de bois et l'ombre des pommiers ponctuant les plus gros pâturages du pays, mais aussi une mosaïque de terroirs parmi lesquels la Seine s'alanguit en nobles méandres et un ciel aux subtiles variations qui faisait "le désespoir des Impressionnistes". Par-delà les stéréotypes, la Normandie offre surtout de fugitives nuances au visiteur et le maître-mot en cette province pourrait bien être "Impressions". En effet, ainsi intitulé par Claude Monet, le tableau qui allait lancer le monde artistique vers de nouveaux horizons fut peint au Havre ; à Rouen, les toiles du précurseur fixèrent les demi-jours les plus fugaces de la cathédrale et c'est entre les ciels et les eaux de Normandie qu'il choisit de vivre la

suscita un extraordinaire mouvement pictural en Normandie, ce pays de la lumière frémissante. Et pour ne pas manquer une seule de ces vibrations fascinantes, lui qui louait des meules de paille aux paysans des environs, s'ingéniant à suivre les jeux du soleil sur leur volume, décida de créer à sa porte un décor suffisamment riche pour sa palette. C'est le *Clos Normand* avec sa débauche de fleurs et, de l'autre côté d'un tunnel, le jardin japonais, digne pendant de sa superbe collection d'estampes. A cette fin, il avait fait creuser un étang et détourner un bras de l'Epte, qui bruisse toujours sous le pont japonais et les essences exotiques.

Modeste sur les cartes, la vallée de l'Epte a pourtant une grande importance historique, plus encore que l'Arve au sud, car elle ne représente pas seulement la frontière de la

moitié la plus féconde de son existence.

A l'opposé du Havre, porte océane de la Normandie où il avait passé son enfance et qui lui laissa le goût des marines, Monet s'attacha aux lieux marqués par la naissance historique de la province, aux confins de l'Ile-de-France. La petite cité de Giverny, voisine de Vernon sur le confluent de l'Epte et de la Seine, lui doit une renommée bien établie et abrite le tableau vivant dont Monet disait qu'il était son chef-d'œuvre, le fameux *Jardin d'eau* immortalisé par la suite des Nymphéas. Allongée sur le versant, rose avec ses volets verts, l'ancienne maison de maître où le peintre vint s'installer en 1883, a été restaurée avec le plus grand soin et sert de cadre à un musée national dont la découverte complète à merveille celle des grandes expositions parisiennes. Plus que les reproductions d'œuvres marquantes, que les ateliers ou les objets familiers du peintre, les jardins racontent la quête de cet artiste qui

province, elle en abrita la naissance : cet événement eut lieu à Saint-Clair-sur-Epte, en l'an 911, lorsque Charles le Simple concéda la Neustrie à Rolf le Marcheur, chef des Normands, ces *Hommes du Nord* dont les bandes ravageaient le pays de Seine depuis un siècle. Le roi de France espérait que le nouveau duc aurait à cœur de défendre son territoire, protégeant du même coup le royaume d'autres incursions vikings : il avait vu juste et par la suite, la volonté d'expansion des Normands s'exerça aux dépens de l'Angleterre. Ce que le roi n'avait pas prévu, en revanche, c'est qu'ainsi renforcé par Guillaume le Conquérant, le pouvoir des ducs de Normandie allait devenir une menace pour la couronne ; plus

Château-sur-Epte, les ruines du château (1). Vernon, le vieux moulin sur la Seine (2 et 3). Une vue générale de la cité (4).

4 ▽

que jamais, la vallée de l'Epte jouerait le rôle de frontière, jalonnée de plusieurs places fortes.

Sur la Seine, juste en aval de Giverny, la ville de Vernon marquait la limite du duché et elle changea plusieurs fois de mains car il était intéressant de contrôler son pont. Ces temps sont lointains et, dans la souriante Vernon d'aujourd'hui, les ouvrages guerriers demeurent discrets : sur la rive droite, pointant de la verdure où se niche le faubourg de Vernonnet, apparaît le château des Tourelles, gardien du vieux pont dont les premières piles s'avancent encore sur le fleuve, tandis qu'en ville subsistent des pans de remparts et la tour des Archives, donjon de l'ancien château. Vernon se pare en outre de sa collégiale Notre-Dame, un édifice du XIIᵉ siècle plusieurs fois remanié

La maison de Claude Monet à Giverny (1). Divers aspects du jardin (2 et 3). Le grand atelier de l'artiste (4). Le bassin des Nymphéas (5).

1 △   2 ▽

3 ▽

comme en témoigne notamment l'élégant portail ouest à la rosace flamboyante, ainsi que les maisons à colombages que les combats de 1944 ont bien voulu épargner. L'une de ces constructions, l'ancien hôtel particulier d'un seigneur du cru, est occupée par le musée A.G.Poulain qui possède une intéressante collection d'œuvres des artistes de Giverny. Plus qu'à ses murs, Vernon doit l'essentiel de son cachet à un site agreste dont le charme est très prisé aux abords de l'agglomération parisienne : ici, la Seine interrompt ses méandres pour laisser place à de longues îles boisées et les futaies s'étendent sur chaque berge. La forêt de Vernon a comme vedette le gigantesque chêne de la Mère-de-Dieu et celle de Bizy, non moins profonde, porte le nom du château à l'admirable parc qui la sépare de la ville. Pour jouir de cet ensemble, les balcons au-dessus du fleuve sont nombreux, de la côte Saint-Michel au Signal des Coutûmes ou à Notre-Dame-de-la-Mer.

4 △   5 ▽

2 △   3 ▽

1 ◁

LA VALLÉE DE LA SEINE,
LES ANDELYS, CHATEAU-GAILLARD

Evoquant les coches d'eau qui rivalisaient avec les diligences sur le trajet de Paris à Rouen, des vedettes permettent à la belle saison d'embarquer à Vernon pour une descente de la Seine vers les Andelys et Château-Gaillard. Cette paisible croisière donne le temps de penser à ce que fut la Normandie de l'an Mil et aux circonstances qui firent s'élever

cette forteresse colossale.

Forts de leur nouvelle légitimité en terre franque, les Normands de Rolf et leurs successeurs s'employèrent à faire de ce pays méridional l'un des éléments du monde économique scandinave, alors florissant. Adoptant volontiers la religion chrétienne à l'exemple de leur chef devenu Rollon puis Robert, ils relevèrent les ruines laissées dans leur sillage au temps des invasions et restaurèrent la puissance monastique : le mont Saint-Michel et Notre-

Dame-de-Rouen sont les plus beaux témoignages des constructions religieuses que les Normands firent fleurir en abondance. Cette période bénie vit surtout la naissance d'une race neuve, fruit du mariage entre l'esprit conquérant des Vikings et les fondements de la culture française. Bâtir des églises ne suffisait pas à ces hommes qui s'élancèrent à nouveau sur les mers pour se tailler d'autres royaumes, Sicile, Antioche et Angleterre ; les ducs de Normandie, vassaux du roi de France, devinrent donc rois eux-mêmes et défenseurs de la Chrétienté, tout pillards vikings qu'aient été leurs aïeux. C'est ainsi que vers 1190, la troisième croisade fut menée par Philippe-Auguste et Richard-Cœur-de-Lion, valeureux guerriers tous deux et hommes d'état d'égale envergure, aussi rusés que sans scrupules : cette équipée marqua la fin d'une entente qui était plutôt une trêve, et la Normandie, bien évidemment, allait être l'enjeu de l'affrontement, le roi de France souhaitant élargir les possessions de la couronne et Richard étant décidé à conserver son fief.

Les premiers combats tournent à l'avantage de Philippe-Auguste qui peut envisager d'attaquer Rouen, soutenu par une armée fluviale. Richard imagine alors de lui couper la route en barrant la vallée entière au niveau de Petit-Andely : utilisant le savoir-faire des Croisés, il

dresse les plans d'une sorte de krak des Chevaliers qui prolongerait la falaise et fait établir une estacade à travers le fleuve, fermant aussi la plaine de Bernières. Il dirige des milliers d'ouvriers et fait si bien hâter les travaux que l'imprenable forteresse est debout en un temps très court : "Qu'elle est belle, ma fille d'un an!" s'exclame-t-il en détaillant son œuvre. Deux sottises suffisent pourtant à changer le cours de l'Histoire. En se promenant imprudemment devant un château assiégé en Limousin, Richard-Cœur-de-Lion est frappé d'un carreau d'arbalète fatal et son successeur, Jean Sans Terre, eut l'inconscience de faire ajouter des latrines à l'extérieur de la seconde enceinte, point faible grâce auquel les audacieux soldats de Philippe-Auguste finissent par se rendre maîtres de la forteresse. La Normandie redevient française mais Château-Gaillard mettra encore aux prises les mêmes antagonistes lors de la Guerre de Cent ans, et son rôle, pendant les guerres de Religion – quatre cents ans après Richard – lui vaut d'être démantelée sur

▷
4

L'abbaye de Fontaine-Gérard (1 et 3). La vallée de la Seine aux environs des Andelys (2). L'église de Pont-de-l'Arche (4).

1 △   2 ▽   3 △   4 ▽

l'ordre d'Henri IV. C'est dire la valeur stratégique de la place.

Parvenu devant les murailles dont l'épaisseur atteint par endroits cinq mètres, l'amateur d'art militaire peut apprécier la perfection des défenses : le châtelet comme la proue d'un vaisseau défiant l'Ile-de-France, l'enceinte protégeant la basse-cour, puis la seconde ligne très massive et le donjon taluté qui rehausse la falaise. On voit encore le logis du gouverneur et les casemates où étaient entassés les réserves pour soutenir des sièges de plus d'un an,

mais à Château-Gaillard, on voit surtout un panorama incomparable sur la Seine et les Andelys.

Au pied de ce site exceptionnel, la cité possède sa propre séduction et l'élégance gothique de l'église Saint-Sauveur, près du fleuve, y contraste avec la majesté plus composite de la collégiale Notre-Dame, à l'autre bout de l'avenue qui relie le Petit et le Grand Andely. Ce vaste sanctuaire à dominante Renaissance, conserve le souvenir de sainte Clotilde, la femme de Clovis : après avoir converti son

époux au catholicisme, elle fonda un monastère en ces lieux et, pour désaltérer les maçons, changea l'eau de la fontaine en vin. Il ne reste, hélas! du miracle que la couleur rougeâtre de cette eau ferrugineuse, et les belles verrières de l'église, contant le prodige.

Vers l'aval, selon le rythme des méandres du fleuve, les escarpements laissent place à des berges basses et boisées : c'est dans un tel cadre que Richard-Cœur-de-Lion fonda l'abbaye de Bonport dont on aperçoit de beaux vestiges. Cependant, les rivages abrupts mon-

trent plus de pittoresque avec le rocher de la Roque, les roches de Saint-Adrien et surtout la célèbre Côte des Deux Amants, magnifique belvédère évoquant la légende romantique qui inspira nombre de peintres et de poètes depuis le XIIᵉ siècle.

Aux Andelys. Château Gaillard (1 et 4), la Seine (2 et 3), l'église Notre-Dame (5).

5 ▽

LE DOUX PAYS
D'ENTRE SEINE ET EURE

La fière silhouette de Château-Gaillard se révélant au-delà des sinuosités de la Seine, telle est la perspective qui décida sans doute Georges d'Amboise, archevêque de Rouen, à transformer pour son usage le château donné à ses prédécesseurs par saint Louis. Admirablement situé, Gaillon convenait en effet à merveille aux ambitions de ce cardinal-ministre, par ailleurs légat du pape. A l'avant-garde architecturale, Gaillon marquait l'abandon de l'ornementation gothique au profit d'un style qui n'était pas copie servile de l'italien et que les châteaux du Val de Loire porteront à son apogée. Au siècle suivant, Hardouin-Mansart et Le Notre complètent ce palais somptueux qui gagne le surnom de "Versailles de la Renaissance".

Alors que Gaillon se tient juste à l'écart du fleuve, la cité de Louviers près du méandre

suivant, lui fait l'infidélité de se nicher dans les bras de l'Eure, peu avant son confluent. A contempler le site avenant d'où la ville tire peut-être son nom – en latin "le séjour du printemps" – on comprend son fondateur, un duc de Normandie qui avait placé son manoir en ce lieu serein. Cédé aux archevêques de Rouen par Richard-Coeur-de-Lion, le domaine voit dès le XIIe siècle se multiplier les ateliers de drapiers travaillant la laine, une tradition relancée par Colbert qui crée à Louviers une manufacture royale. La ville a perdu récemment ses dernières usines textiles mais son industrie assez diversifiée est l'héritière du siècle dernier qui introduisit la fabrication des machines à carder et des métiers à tisser. Sans les destructions de 1940, le cœur de la cité nous serait parvenu avec son caractère de l'Ancien Régime presque inchangé ; cependant si la plupart des maisons à colombages ont disparu, la remarquable église Notre-Dame subsiste, arborant un porche méridional qui est

1 △   2 ▽

l'exemple le plus souvent cité pour illustrer le gothique flamboyant, "davantage un chef-d'œuvre d'orfèvre qu'une construction de maçons".

Près des pinèdes qui donnent un air méditerranéen au confluent de l'Eure se tient la petite ville de Pont-de-l'Arche, ainsi nommée pour avoir été la première à posséder un pont sur la basse Seine, alors que même Rouen ne disposait pas de cette facilité. Avant de s'élancer vers le nord et la grande métropole, le fleuve baigne encore Elbeuf, qui partage un lointain passé de cité drapière avec Louviers : l'antique Wellebou des Vikings fut elle aussi organisée en manufacture d'Etat par Colbert

A Moulineaux, le château de Robert-le-Diable et les armoiries surmontant le portail (1 et 3). Un drakkar, au Musée des Vikings installé au château (2). Une vue de Gaillon (4).

et elle n'abandonna le tissage que pour les industries des temps modernes. Comme à Notre-Dame de Louviers encore, les vitraux de l'église Saint-Etienne sont les seuls témoins de l'époque révolue des tisserands, montrant ceux qui faisaient vivre la ville lors de leur procession annuelle ou en costume de travail.

Un méandre débute ensuite en fouillant la base des roches d'Orival, ancien village troglodyte de foulonniers où se voit toujours l'église Saint-Georges en partie creusée dans la falaise ; il développe à partir de là sa boucle au point de laisser la place à l'agglomération rouennaise et à la forêt du Rouvray, avant de revenir presque complètement sur lui-même en face d'un pittoresque escarpement. Ce site d'où la vue sur le fleuve rivalise avec celle de Château-Gaillard, fut évidemment couronné d'un château, maintenant à demi-ruiné. La légende l'a attribué à Robert-le-Diable, personnage mythique qui aurait arbitré en forêt de Brotonne le différend opposant un ange et un

3 △   4 ▽

démon à propos de l'âme d'un moine chargé de péchés. Ce Robert était en fait "le Magnifique", descendant de Rollon et père de Guillaume, également affublé de deux surnoms fort dissemblables puisqu'il fut d'abord, à son corps défendant, "le Bâtard", avant de devenir "le Conquérant". Détruit au XVe siècle pour éviter qu'il ne soit utilisé par les Anglais, ce château féodal garde néanmoins fière allure avec son donjon en demi-lune au-dessus de la vallée, et ce belvédère très apprécié vaut en outre pour le musée des Vikings qu'il abrite : grandeur nature, la reconstitution d'un drakkar s'allonge dans la cour, tandis que des figurines de cires occupant les souterrains et la tour, retracent l'épopée de ceux qui allaient prendre le nom de Normands.

Louviers. Un ancien couvent (1). L'église et ses alentours (2). Les Roches d'Orival (3).

teur qu'il était redoutable à la tête de ses troupes. Ce coureur des mers peut être considéré comme le fondateur de la ville moderne, car les travaux d'aménagement qu'il imagina sur la Seine ne furent complétés qu'au siècle dernier. Loin à l'intérieur des terres mais accessible aux navires de mer grâce à la marée, Rouen commençait vraiment une carrière qui en fait aujourd'hui le quatrième port français.

Plusieurs périodes noires s'abattirent sur la prospère cité. Le passage dans le giron de la France s'effectua avec une relative douceur lorsque Philippe-Auguste s'empara de Rouen en 1204 et un premier âge d'or s'ensuivit, lié au succès du port et des activités drapières. De ce temps date la reconstruction de la cathédrale et de l'abbaye de Saint-Ouen, puis la guerre vint à nouveau s'ajouter aux épidémies de peste et aux famines pour lesquelles il n'y avait pas de trêve. La Guerre de Cent ans débuta en l'occurrence par un cruel siège au terme duquel les Anglais se rendirent maîtres de la ville en 1419. La résistance, galvanisée par les prouesses de Jeanne d'Arc, fut impitoyablement écrasée et l'héroïne elle-même, victime de sordides tractations, tomba entre les mains de l'occupant. Ce fut le procès fameux et bientôt le supplice par le feu sur la place du Vieux-Marché pour celle qui était déjà un symbole national.

Il faut attendre 1449 pour voir Charles VII

reconquérir Rouen, pour qui ce sera le début du "Siècle d'or".

Les malheurs n'étaient cependant pas terminés, en alternance avec les périodes fastes : c'est tout d'abord l'exode de l'industrieuse communauté protestante à la Révocation de l'Edit de Nantes, puis le succès inattendu du coton tissé et teint connu sous le nom de "rouennerie". Beaucoup d'activités profitent de

Les ponts de Rouen (1). L'île La Croix (2). Un aspect de la ville autour de la cathédrale (3).

ROUEN : TRADITION MARITIME

Lorsque Rolf, connu aussi comme le beau Rollon, se voit concéder la Normandie en 911, il décide d'installer le siège de son gouvernement à Rouen, faisant alors définitivement de cette ville la capitale politique et commerciale de la province. C'était déjà une cité ancienne, occupant le site privilégié que constitue toujours le premier port en arrière d'un estuaire. Plus tôt encore, la tribu gauloise des Véliocasses, qui ont donné leur nom au Vexin, s'était fixée sur les îlots facilitant le passage en cette tête de méandre et les Romains avaient établi là leur Rotomagus, à la fois actif marché régional et ville de garnison. Dès l'an 260, saint Mellon évangélise la contrée et devient le premier évêque de la ville.

Beaucoup mieux que les colonisateurs romains, les Vickings sauront réaliser la synthèse de deux cultures étrangères et rarement vainqueur aura tant donné au pays conquis : arrivé à Rouen dans la fumée des incendies et l'épée ensanglantée, Rolf le Marcheur se convertit et devient Robert Ier, duc de Normandie, aussi avisé dans son rôle d'administra-

1 △ 2 ▽

cet engouement et la mécanisation se généralise sans tarder : toujours entreprenants les Normands adoptent aussi le chemin de fer et aménagent leur port, non sans égratigner au passage leur magnifique cité. Mais ce n'est rien au regard de l'incendie de 1940 et des bombardements de la fin de la guerre ; les dégâts furent si proches de l'anéantissement qu'un demi-siècle plus tard les travaux de restauration s'achèvent à peine.

Pourtant, comme les précédentes, cette ultime épreuve présente certains aspects positifs. La rive gauche a vu disparaître les industries au profit des réalisations modernes qui font de la "ville-musée" une cité bien vivante, tandis que le vieux quartier, bourdonnant d'activité autour du centre historique, fait la part belle aux piétons entre les fameuses maisons à pans de bois enfin débarrassées de leur crépi.

Le «Gros Horloge» (1). Motifs de celui-ci (2). Les anciennes maisons de la place de la cathédrale (3).

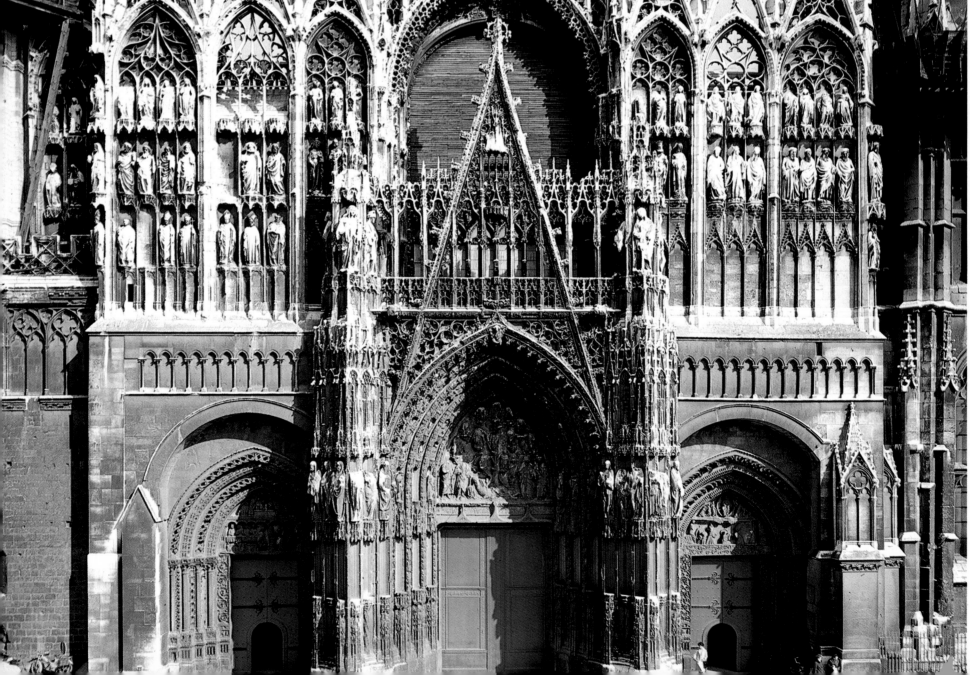

1 △   2 ▽

FLAMBOYANT ET TRIOMPHANT
L'ART GOTHIQUE
A ROUEN

Après l'art roman porté à son apogée par les Bénédictins dans leurs abbayes, la province reprend le style "français" lui-même évolution de l'anglo-normand et réussit une synthèse admirable entre la pureté des proportions anciennes et les raffinements décoratifs du gothique nouveau venu. L'art des maîtres locaux triomphe à partir du XIVe siècle avec le gothique flamboyant dont Rouen est sans conteste la capitale.

Né d'une conception du divin moins ésotérique qu'à l'époque romane et nourri par la prospérité rouennaise, ce gothique de lumière allait s'élancer de plus en plus haut vers le ciel et s'ouvrir largement à lui. Ainsi, par étapes, la cathédrale Notre-Dame de Rouen évolua vers un idéal qu'elle symbolise aujourd'hui en parvenant à marier légèreté et dimensions grandioses, harmonie d'ensemble et extrême diversité.

Derrière une morne façade du XIXe siècle,

Rouen. La nef, l'entrée et la flèche de la cathédrale (1, 2 et 3). Le nouveau clocher de la tour St-Romain (4). La grande Rosace du «Portail des Librairies» (5).

3
◁
4
▽

5 △

Saint-Ouen se révèle être l'un des exemples les plus achevés en France du gothique rayonnant. Cette ancienne abbatiale, assez discrète de l'extérieur, mise à part la belle envolée de sa "tour couronnée", se révèle par contre dès que l'on a passé le portail des Marmousets. Juste au revers de la cathédrale, Saint-Maclou témoigne du même souci d'unité, mais avec ceci d'original que cette œuvre du plus pur gothique fut entièrement édifiée pendant la Renaissance. La façade est ici le morceau de

bravoure avec cinq arcades disposées en éventail dont les gables aigus sont comme un brasier de pierre sculptée au pied de la tourlanterne.

L'évocation des plus beaux monuments gothiques de Rouen serait incomplète sans le Palais de Justice où plaida Corneille, exubérant exemple d'un gothique finissant et déjà porteur des idées venues d'Italie. Pourtant la ville-musée ne se limite pas à un foisonnement moyenâgeux comme le prouvent les Rouennais en montrant autant d'attachement à la flèche de Notre-Dame qu'au fameux Gros-Horloge : dans un décor Renaissance, son aiguille unique terminée par un mouton d'argent, rythme depuis des siècles l'activité de la cité normande qui ne s'est pas endormie sur son passé.

Le Palais de Justice de Rouen (1 et 2). L'un des motifs principaux de la façade (3).

1
◁

2 △   3 ▽

4 ▽

ROUEN ET SES GRANDS PERSONNAGES

Les splendeurs architecturales de Rouen font un peu d'ombre aux grands hommes de la ville, et eux-mêmes ont été relégués au second plan par une jeune étrangère à la fulgurante existence. Que le nom de la ville ne soit pas associé à Jeanne d'Arc de la meilleure façon possible est un fait mais jamais les Rouennais n'ont laissé planer un doute sur leur fidélité à la couronne de France, payant de leur sang une résistance acharnée à l'occupant anglais, et même le félon Pierre Cauchon qui se fit le chef des accusateurs était venu de Beauvais dont il était l'évêque. Le peuple, sévèrement contenu par les troupes de Lord Warwick, capitaine de la ville craignant une révolte, n'aperçut d'ailleurs la sainte qu'à deux reprises lorsque ses juges la poussèrent à abjurer sur l'échafaud du cimetière Saint-Ouen et, quelques jours plus tard, pour son supplice place du Vieux-Marché. A défaut d'avoir secouru à temps celle à qui il devait tout, Charles VII fit casser ce simulacre de procès et réhabiliter l'héroïne dans la grande salle de l'archevêché, quinze ans après qu'elle eut péri sur le bûcher.

Le théâtre de cette exécution justifia son nom jusqu'à une date récente où les halles laissèrent la place à l'un des édifices les plus surprenants de la ville, l'église Sainte-Jeanne d'Arc qui remplaça en 1979 l'église Saint-Vincent bombardée à la Libération. Sur les plans de l'architecte Louis Arretche cette œuvre audacieuse se situe dans le droit-fil de l'histoire rouennaise puisqu' elle ponctue la rue du Gros Horloge à l'opposé de la cathédrale, et intègre les somptueux vitraux du sanctuaire précédent, heureusement déposés au début de la guerre. Sur le lieu précis du supplice s'élève la haute "Croix de la Réhabilitation" et le musée consacré à Jeanne d'Arc.

Un musée occupe la maison natale de Pierre Corneille, qui était le fils d' un maître des Eaux et Forêts. Il fit ses études au Collège des Jésuites, un noble édifice portant aujourd'hui son nom où il se prépara à une situation d'avocat qui allait le conduire à être procureur au Parlement. Peu enclin à cultiver l'art très normand de la chicanerie, il fit dans un autre genre la carrière que l'on sait, partageant les faveurs de la cour et du public avec son jeune frère Thomas. L'œuvre de celui-ci est maintenant oubliée, mais il eut le mérite de former au barreau son neveu qui n'était autre que Fontenelle, l'initiateur de l'Encyclopédie, né dans le même quartier.

L'église St-Maclou (1). La cour centrale (2); détail de sculptures de celle-ci (3). L'abbatiale St-Ouen (4). L'église Ste-Jeanne-d'Arc (5). Détail d'une façade (6).

ECRIVAINS ET ABBAYES

Un peu à l'étroit dans les murs de Rouen, la littérature retrouve son souffle dès les hauteurs de la banlieue d'où l'on a une si belle vue sur la métropole : celle que décrivait Maupassant se contemple depuis la colline de Canteleu, rivalisant avec la célèbre côte Sainte-Catherine ; non loin, à Croisset, un pavillon Louis XV retentit des clameurs de Flaubert passant ses textes à l'épreuve du "gueuloir" ; à Petit-Couronne se trouve la "maison des champs" des Corneille transformée en musée à la mémoire du dramaturge ; à l'opposé de la forêt de Roumare, le château de la Rivière-Bourdet abrita un temps les méditations de Voltaire en bord de Seine, mais c'est évidemment au malheur de Victor Hugo que l'on songe en évoquant cette partie du fleuve. Villequier, près de l'endroit tragique où la fille du poète se noya avec son mari Charles au cours d'une promenade en barque à voile, montre encore la très belle "maison de briques couverte de pampres verts" de la famille Vacquerie, ces riches armateurs havrais dont les fils s'étaient disputés les faveurs de Léopoldine. Les lieux sont aménagés en un musée Victor Hugo qui est le troisième de France pour la richesse de ses collections illustrant cette sombre époque qui inspira de poignantes "Contemplations".

Le redoutable mascaret, aujourd'hui assagi, entraîna un autre naufrage moins connu qui excite encore les imaginations en Basse-Seine, celui du Télémaque, disparu au coude de Quillebeuf en 1790. Ce navire était parti de Rouen avec les joyaux de la couronne ainsi que les trésors des abbayes de Boscherville et de Jumièges : personne n'a réussi depuis à retrouver ces pièces inestimables que Louis XVI souhaitait soustraire à la convoitise des révolutionnaires. Un épisode qui met une nouvelle fois en lumière l'importance des abbayes de cette vallée historique, héritières des congrégations qui avaient été des proies faciles pour les Vikings remontant la Seine. Convertis, les mêmes conquérants puis leurs descendants mirent un point d'honneur à reconstruire ces communautés en les dotant magnifiquement, et ils instaurèrent un style normand dont la Basse-Seine possède quelques-uns des plus purs exemples, à l'égal de Caen ou du Mont-Saint-Michel.

Au plus près de Rouen, en bordure de la forêt de Roumare, l'abbaye de Boscherville fut fondée en 1050 par Raoul de Tancarville,

Caudebec-en-Caux (1). Une vue de Lillebonne (2) et son donjon (4). A La Haye-de-Routot, l'ancien four à pain (3). Ruines à Villequier (5).

1 △ 2 ▽

chambellan de Guillaume le Conquérant, et ce sont les Bénédictins de Saint-Evroult, installés à la suite des chanoines d'origine, qui terminèrent vers 1125 l'actuel sanctuaire. Sauvé du pic des révolutionnaires par les villageois de Saint-Martin qui préférèrent sacrifier leur église et conserver l'abbatiale Saint-Georges, cette construction demeure la seule de Haute-Normandie à témoigner sans retouche ni mutilation de l'école romane normande à son apogée. Dans sa sobre architecture opposant l'impressionnante tour-lanterne à la façade pleine de légèreté, l'œil averti remarque l'amorce du gothique au pinacle des fines tourelles d'escalier, preuve supplémentaire de la continuité architecturale en Normandie.

Le méandre suivant abrite les ruines grandioses de ce qui fut la plus riche des abbayes tant pour le temporel que pour le spirituel, influente pendant un millénaire jusqu'aux limites de la Chrétienté. Jumièges trouve en effet ses origines en l'an 654 lorsque saint Philibert fonde dans une vaste forêt, donnée par Clovis II, un monastère que la dynastie carolingienne favorisera de son mieux. Avec, hélas !, pour résultat d'attirer les Vikings qui en trois expéditions finiront par ruiner complètement Jumièges. La confrérie qui formait une petite ville en est réduite à deux ermites vivant dans des huttes, quand le duc Guillaume-Longue-Epée, fils de Rollon, découvre les lieux en

3 △ 4 ▽

5 ▷

chassant. Il fait restaurer le monastère et se charge de lui donner un grand abbé en la personne du Lombard Guillaume de Volpiano : les nouveaux murs sont inaugurés en grande pompe par Guillaume le Conquérant revenu tout exprès de sa fraîche possession d'Outre-Manche. Jumièges allait faire plus que retrouver son rayonnement passé, brillant dans tous les domaines de la pensée et de l'art, avant de décliner quatre siècles plus tard, à partir de la Guerre de Cent Ans. L'éclipse fut longue, mais après 1666, les archevêques de Rouen réussirent à donner à Jumièges un troisième âge d'or, magnifique élan coupé court à la Révolution. Comme souvent en pareil cas les bâtiments servirent de caserne puis tout simplement de carrières de pierre. Les vestiges sont

27

Jumièges : les vestiges de l'abbaye (1 et 3). Détail
d'une sculpture (2). L'abbaye de St-Wandrille (4).

pourtant considérables, les deux églises Notre-Dame et Saint-Pierre étant bien représentatives d'un style encore marqué de l'empreinte carolingienne, tandis que la salle capitulaire du début du XIIᵉ siècle montre les plus anciennes voûtes d'ogives que l'on connaisse.

Incluse elle aussi dans le périmètre du parc naturel régional de Brotonne, l'abbaye de

1 △   2 ▽

Saint-Wandrille est à la fois l'une des plus anciennes et des plus jeunes de la province. Ex-dignitaire du roi Dagobert, Wandrille la fonda en 649 sur les bords de la Fontenelle, un délicieux vallon rapidement connu sous le nom de "Vallée des Saints" tant ceux-ci y "fleurissent comme rosiers en serre".L'Histoire fut un peu moins cruelle que pour Jumièges, néanmoins la Révolution laissa l'abbaye à l'état de ruines. Les restes les plus remarquables sont ceux du cloître avec une galerie du début du XIVᵉ siècle et les trois autres, flamboyants : celle du nord ouvre sur le réfectoire et comporte un étonnant lavabo abondamment sculpté de motifs italianisants. Après diverses tribulations, l'abbaye a retrouvé sa vocation en 1931 et résonne de nouveau des chants grégoriens, à l'initiative de Dom Pothier. Les précieuses reliques, emportées en Belgique à l'abri des Vikings, sont revenues onze siècles après dans la nouvelle église, une grange dîmière du XIIIᵉ siècle, transportée pièce à pièce depuis la Neuville-du-Bosc, dans l'Eure.

La forêt (1), le pont (2), et le parc (3) de Brotonne. Le pont de Tancarville (4).

1
◁

2 △ 3 ▽

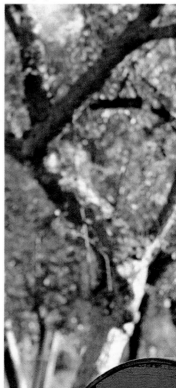

Aspects de chaumières normandes (1 et 2). Des «abris à pain» (3 et 4).

4 ▽

L'OPULENCE DU VEXIN NORMAND

"Tope-là". Jamais signé, le fameux traité de Saint-Clair-sur-Epte se résuma à ces mots entre Charles-le-Simple et Rolf-le-Marcheur accompagnés du geste des maquignons se frappant les mains. C'étaient donc paroles d'or et une modeste rivière entrait alors dans le cours de

son ingénieur, le comte Robert de Bellême qui renouvela l'art militaire en construisant la première tour octogonale, soudée à une chemise elliptique au faîte d'une motte artificielle. Par cette innovation, le traditionnel donjon carré était relégué au rang de vieillerie. En même temps que la bourgade prenait de l'ampleur, les ducs s'attachèrent à renforcer la place :

graffiti.

Le long de la rive normande de l'Epte, Robert de Bellême édifia également le château de Neaufles-Saint-Martin dont le donjon sur motte s'aperçoit de fort loin et il ne fut sans doute pas étranger à la conception de la place du même genre, aujourd'hui occupée par une ferme qui fait face à Saint-Clair-sur-Epte.

l'Histoire : marquant la limite entre Vexin Français et Vexin Normand, elle allait voir ses rives se garnir de châteaux dont Gisors est le plus fameux, au cœur des ondulations blondes ou vertes de ce pays de grandes cultures et de forêts giboyeuses. L'ambition des ducs de Normandie grandit au fil des siècles à la mesure de leur puissance et, en 1097, Guillaume-le-Roux, fils du Conquérant, s'avisa qu'un point faible subsistait face au roi de France sur cette frontière de l'Epte. Pour remplacer le petit donjon seigneurial de Gisors, le duc fit appel à

c'est une première enceinte flanquée de tours en 1125, puis deux étages supplémentaires au donjon et des contreforts à la chemise moins d'un demi-siècle après.

Les Français qui avaient déjà pris la forteresse grâce à une trahison avant d'en être chassés, l'investissent à nouveau en 1193, profitant de l'emprisonnement en Autriche de Richard-Cœur-de-Lion. Philippe-Auguste la dote à ce moment d'un gros donjon circulaire appelé aujourd'hui "tour du Prisonnier" car les cachots de sa base sont fameux pour leurs

Dangu, Baudemont et Vernon complétaient cette ligne.

Pays de riches cultures, les plateaux du Vexin portent des maisons plus cossues qu'à l'habitude avec souvent un étage et des toits de tuiles ou d'ardoises, couvrant à l'occasion un pan de mur à l'ouest. Ce détail au clocher de

Le pigeonnier de l'abbaye de Mortemer (1); le château fort de Gisors (2) et le château de Vascœuil (3).

l'église et une certaine opulence dans l'architecture se remarquent notamment à Lyons-la-Forêt, le bourg qui symbolise la facette forestière du Vexin normand. Le vaste massif forestier qui entoure Lyons est l'une des plus belles hêtraies de France grâce au maintien de l'équilibre séculaire indispensable à un pareil peuplement : à partir de 1160, les moines de Mortemer effectuèrent un travail de pionniers pour éliminer les taillis, ce qui permit ensuite l'installation des bûcherons, des charbonniers et des verriers, sans oublier le passage des grands de ce monde puisque la forêt de Lyons était une chasse royale depuis les Mérovingiens. Les défrichements sont toujours restés limités et c'est pourquoi l'abbaye de Mortemer a gardé dans le vallon du Fouillebroc le cadre parfaitement cistercien de ses origines. Les ruines de l'abbatiale et les bâtiments conventuels qui abritent un musée avoisinent un étang au-delà duquel jaillit la fontaine Sainte-Catherine. La source est fameuse dans le pays car les jeunes filles en quête de mari avaient coutume de venir faire leurs dévotions au petit oratoire qui la borde.

Passé l'Andelle, on pose le pied en pays de Bray, un terroir bien différent où les arbres

1 △ 2 ▽

sont plutôt des pommiers, laissant de vastes espaces à l'élevage. Au confluent du Crévon, à Vascœuil, le château de la Forestière avec son beau pigeonnier est devenu un centre d'art contemporain, sculptures et mobiles peuplant le parc ; Michelet y écrivit une partie de son *Histoire de France*. Dans le même ordre d'idées, le petit bourg de Ry tout proche est au cœur de l'inspiration de Flaubert pour *Madame Bovary* : les gens du cru n'ont eu aucun mal à trouver les clefs du roman qui fit scandale à l'époque, car à l'évidence, l'épouse du médecin local avait servi de modèle à l'écrivain.

Lyons-la-Forêt. Façades à colombages et lucarnes (1 et 2). Une vue du village (3). Le château de Martainville et ses cuisines (4 et 5).

3 △   4 ▽

5 ▽

1 △   2 ▽

DE SOURCES EN PATURAGES, LE PAYS DE BRAY

L'Epte et l'Andelle ont trouvé leurs sources presqu'au même endroit près de Forges-les-Eaux et d'autres rivières plus lointaines convergent aussi vers ce nid de verdure, le Thérain, la Bresle et la Béthune. L'explication fait le régal des géographes qui voient dans cet original pays de Bray une parfaite "boutonnière" : à l'ère tertiaire, un plissement important affecta dans cette zone les couches régulières du bassin parisien, formant un dôme élevé d'où s'élançaient tous ces cours d'eau. L'érosion joua alors fortement et les couches inférieures furent mises à jour les unes après les autres, leur variété faisant le relief un peu confus et la diversité des sites du pays de Bray. Ce schéma simpliste se complique d'accidents de détail et l'on ne voit bien la boutonnière que sur une carte géologique où elle justifie parfaitement son nom ; cependant le paysage en porte la trace : sous le limon qui faisait au sud la richesse du Vexin, apparaît l'argile à silex couverte de forêts, puis la craie blanche ou marneuse où se trouvent les sources et quelques labours, enfin, tapissant la vallée, les terrains argileux, domaine des prairies.

Ce terroir longtemps délaissé fut revigoré par l'élevage, et la proximité de la capitale assura une économie laitière symbolisée par le succès du "Petit Suisse". Le tourisme profita aussi de ce voisinage puisque la station thermale de Forges-les-Eaux doit son renom à Louis XIII, venu en cure en 1633. Il faut dire que son déplacement dans l'ancienne cité des forgerons ne pouvait passer inaperçu : le monarque était en effet accompagné d'Anne d'Autriche, de Richelieu et de quelques centaines d'hommes d'armes !

De part et d'autre de la ville d'eaux, se trouvent les pôles du pays de Bray, dont Gournay-Ferrières au sud, une grande cité fromagère entourée de riches pâturages : elle doit sa renommée au commis d'un mandataire parisien à qui une fermière envoyait des fromages de son invention, mêlant la crème fraîche au caillé. Séduit par l'idée, le jeune homme entreprenant fit appel à des spécialistes suisses pour organiser la production industrielle de ce fromage près de Gournay. Charles Gervais venait d'associer son nom à ces "Petits Suisses" immédiatement adoptés dans la panoplie des fromages de France.

Des paysages différents composent ce terroir qui porte une splendide hêtraie avec la forêt d'Eawy, très comparable à celle de Lyons, également associée aux artisanats du feu, comme la faïence fine de Forges-les-Eaux et aux jeux de la chasse pour les puissants du royaume. Le château de Mesnières-en-Bray, l'un des joyaux de la Renaissance normande sur le modèle de Chaumont et qui fut la propriété de Louis XV, est ainsi paré d'une longue galerie des Cerfs où les statues de gypse portent de véritables bois.

3 △   4 ▽

Vue de Gisors (1). A Beuvreuil, détail du porche de l'église (2). Vestiges d'une façade XVIIIᵉ, à Forges-les-Eaux (3). Les hêtres de la forêt d'Eawy (4).

LA COTE D'OPALE, EU ET LE TREPORT

Prenant la suite de l'Epte vers le nord, conformément au traité de Saint-Clair, c'est la Bresle qui marque d'un chapelet d'étangs la limite entre Normandie et Picardie. Deux petites villes de son embouchure ont laissé leur empreinte dans ce pays du Petit-Caux, le Tréport pour les temps modernes et Eu pour ce qui est de l'Histoire, alors que près des sources, Aumale semble se contenter du grand nom qu'elle porte. Le Petit Caux est couvert des trois forêts d'Eu qui furent la propriété des ducs d'Orléans et comme à l'habitude, princes et manants y trouvaient leur compte : les uns chassaient en grand équipage tandis que les innombrables verriers de la lisière approvisionnaient leurs fours en bon bois. Lorsque les

travaux entrepris par Charles d'Artois eurent pourvu la cité d'Eu d'un canal maritime facilitant l'arrivée du charbon, cette activité commença à gagner le fond de la vallée où elle se trouve toujours. L'une de ces entreprises, fondée en 1623, occupe une place de choix dans le flaconnage de luxe pour les parfums et possède des unités de production tout au long de la Bresle.

La cité d'Eu, familière aux cruciverbistes, tire son curieux nom de l'Auga des Romains, port fluvial de la ville d'Augusta que les archéologues sont en train de dégager à quelque distance. Dès la création de l'Etat normand, Eu fit son entrée dans l'Histoire par la grande porte puisqu'elle vit la mort de Rollon en 932, avant de devenir ville comtale en 996. Sa place sur la frontière allait lui valoir un bien plus grand honneur en 1050 pour un événe-

ment dont la tapisserie de Bayeux nous a laissé le reportage ; les noces de Guillaume le Conquérant et de sa cousine, Mathilde de Flandres. La demoiselle s'était fait prier car Guillaume était encore le Bâtard et venait à peine de faire respecter ses droits sur le duché, mais elle finit par consentir et la cérémonie célébrée à la limite de leurs états respectifs fut grandiose ; la tapisserie de la "Reine Mathilde" en fait foi. Cette œuvre est d'ailleurs tout ce que l'on sache sur le château d'Eu primitif, détruit en 1475 sur l'ordre de Louis XI, pour que le roi d'Angleterre ne puisse en profiter : le chemin était encore long vers l'entente cordiale.

Cent ans plus tard, le Balafré, autrement dit le duc de Guise, commanda à un architecte de Beauvais la demeure de brique et de pierre que nous admirons aujourd'hui. Après son assassinat, sa veuve qui lui avait apporté le domaine, s'y retira, et ils reposent tous deux dans les magnifiques mausolées de marbre de la chapelle du Collège. La Grande Mademoiselle, cousine de Louis XIV, acquiert ensuite le château.

Sur la "Côte d'Opale", la falaise ne ménage guère de dégagements et l'embouchure de la Bresle fut utilisée très tôt comme port. Bien nommé, le Tréport ne prit toutefois une importance notable qu'au début du XIXe siècle avec l'aménagement des jetées et des quais ordonné par Bonaparte, puis la vogue lancée par Louis-Philippe. La proximité de Paris, le pittoresque du port de pêche, les plages et les falaises firent le reste pour que le Tréport soit aujourd'hui une station balnéaire très fréquentée.

Le château d'Eu (1) et la crypte de la chapelle (2). Une vue du Tréport (3).

1 △

DIEPPE, UNE DOUBLE HISTOIRE

Tous les atouts qui ont assuré le succès du Tréport sur la Côte d'Opale se retrouvent à Dieppe qui fut autant favorisée par la nature que par les événements. La grande cité qui partage la vedette de la Côte d'Albâtre avec Fécamp est en effet installée à l'embouchure de l'Arques, une courte rivière formée par la réunion de la Béthune et de ses deux principaux affluents, donc suffisamment puissante pour creuser un estuaire dans le rempart des hautes falaises cauchoises. Bien plus, le lit de l'Arques présente une profondeur remarquable au point d'avoir donné son nom à la ville, Dieppe étant le "deep" des Anglo-saxons adapté à la mode normande. Très tôt dans l'histoire de la province, cette faculté d'abriter les navires de haute mer fit de la cité le port des destinations lointaines et Dieppe fut à la Normandie ce que Saint-Malo n'était pas encore à la Bretagne : d'hardis marins, explorateurs et corsaires y étaient soutenus par des commerçants et des armateurs entreprenants. En contrepartie de cette fortune, la ville suscitait les convoitises et chaque conflit amena son lot de destructions. Enfin, possédant la plage la plus proche de Paris et dotée de l'une des premières lignes de chemin de fer, Dieppe se targue d'être la (jeune) doyenne des stations balnéaires françaises après avoir inauguré l'ère des "bains de mer".

Quais du Tonkin, des Indes ou du Maroc, bassin du Canada, vieux quartiers du Pollet où depuis des siècles sont débarqués poissons frais et coquilles Saint-Jacques destinés aux bonnes tables parisiennes, car-ferries de Newhaven et cargos-bananiers, le très ancien port de Dieppe n'a sombré ni dans la monotonie ni dans l'inaction et il offre un spectacle sans cesse renouvelé.

Dans cette ville écrasée sous les bombardements de la dernière guerre, en particulier lors de la tentative de débarquement des troupes canadiennes en août 1942, l'amateur d'architecture doit se contenter d'une visite à l'église Saint-Jacques. Commencée en 1250, cet édifice fut remanié pratiquement jusqu'à nos jours, laissant un peu de sa pierre à chaque conflit ; on y remarque la salle du Trésor fermée par un mur richement sculpté au XVIᵉ siècle de

2
◁

Dieppe. Les falaises (1), le château (2), le port (3).

motifs exotiques évoquant les cinq continents.

Dominant la ville depuis une terrasse de la falaise, le château montre plus d'unité car il date pour l'essentiel du XVᵉ siècle ; un musée local fort intéressant y a trouvé place, et à côté des grands marins dont Duquesne est l'un des plus fameux, il consacre notamment une salle à Camille Saint-Saëns, Dieppois de cœur. Les collections les plus remarquables sont toutefois celles des ivoires sculptés, spécialité de la ville depuis 1365, et des peintures qui ont accompagné la naissance des "bains de mer". L'instigatrice de cette vogue fut la reine Hortense qui prit l'habitude de passer l'été à Dieppe, parfois accompagnée du peintre officiel de la cour, Jean-Baptiste Isabey, le père d'Eugène Isabey ; celui-ci, avec un style moins académique, brossa le portrait "face aux éléments déchaînés "de la duchesse Marie-Caroline de Berry, une autre célébrité qui fit beaucoup pour la station en allant se baigner au bras du sous-préfet en grande tenue. De son côté, cette toile attira de nombreux artistes dans la région et ils y

Le manoir d'Ango (1 et 2). A Varengeville, l'église et le cimetière (3); les falaises (4).

1 △ 2 ▽

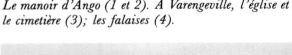

demeurèrent, séduits par ses nuances – il n'est que d'évoquer Boudin, Renoir, Degas ou Gauguin –tandis que les musiciens et les écrivains se laissaient prendre à leur tour sous le charme. D'outre-Manche, des précurseurs devancèrent aussi les vacanciers, comme Turner ou Bonington.

A proximité de Dieppe, Varengeville réussit jusqu'à nos jours à s'attacher des artistes parmi les plus grands, tel Georges Braque qui y avait un atelier ou Albert Roussel, tous deux inhumés dans son petit cimetière du bout du monde. La magie des lieux opère de longue date car, en 1530, l'armateur le plus puissant de son époque avait aussi choisi Varangeville pour faire édifier sa demeure des champs : le manoir d'Ango est une somptueuse villa florentine transposée en terre normande, parfaitement digne d'accueillir François Iᵉʳ, le royal ami du vicomte de Dieppe. Plus qu'à cette visite, le manoir doit sa gloire présente à un extraordinaire colombier au décor polychrome formé de brique, de sylex et de grès, sous une pittoresque toiture en dôme bulbeux. On connaît le symbole médiéval attaché à ces constructions et assurément, le seigneur qui résidait en ce manoir tenait à montrer la qualité de sa noblesse.

3 △   4 ▽

PAYS DE CAUX ET FALAISES D'ALBATRE

Parcouru de routes raisonnablement droites, le pays de Caux semble une sage campagne pour qui n'a pas encore su découvrir ses charmes discrets ; quant à la Manche, elle est souvent d'humeur grise et n'incite pas au romantisme. Pourtant, la rencontre brutale de ces deux paysages étrangers l'un à l'autre prend une telle dimension que pour la plupart de ses visiteurs, le pays de Caux est tout entier dans les falaises de la Côte d'Albâtre. Ce front de mer grandiose battu par les vents et les vagues, fut lui aussi "découvert" au milieu du XIXᵉ siècle par les artistes devenus avides de nature. Qu'ils penchent vers le romantisme comme Delacroix ou Courbet, qu'ils recherchent la nuance vibrante tels Corot, Monet, Pissarro ou qu'ils aient poussé plus loin la démarche à la manière de Signac et Matisse, les rivages de ce pays de Caux répondront toujours à leur attente en voilant d'un ciel de mousseline la sauvagerie des falaises.

Cet extraordinaire abrupt montrant une craie éclatante de lumière, rayée par les lignes sombres du silex, est une plaie vive dans le continent que la mer ronge, grignote ou dévore selon les endroits, Au cap de la Hève, la falaise recule parfois de deux mètres en un an, usée par la pluie et éclatée par le gel, sapée à la base où ne restent que les silex, transformés en une rugissante plage de galets. Le recul de la côte est général comme le prouvent près de Veulettes, les ruines d'un vaste oppidum gallo-romain à cheval sur la ligne de rivage, accréditant la légende d'une ville d'Ys cauchoise. Ce phénomène a gagné de vitesse un grand nombre de cours d'eau dont le flot n'était pas assez puissant pour rectifier le fond de leur vallée et rejoindre normalement la mer : l'eau s'est perdue dans des fissures et ces vallons secs, perchés très haut sur les falaises forment les "valleuses" si caractéristiques de la Côte d'Albâtre. D'autres vallées, asséchées mais verdoyantes, s'approchent assez près du rivage pour faire un hâvre aux villages de

1 ◁

2 ▷

pêcheurs ou à de petites stations balnéaires, mais Dieppe, Saint-Valéry-en-Caux et Fécamp, au débouché d'échancrures importantes, restent des exceptions dans ce paysage, comme en témoigne leur essor portuaire.

Loin d'être quelconque, l'arrière-pays mérite qu'on s'attarde au moins à l'une des originales "masures" qui sont dispersées entre les pâturages et les champs de lin : cet habitat unique fut la réponse des Cauchois au vent violent qui les frappa après la disparition des forêts. Les bâtiments de ferme occupent un quadrilatère entouré d'une levée de terre portant des chênes, des hêtres ou des ormes ; les toits sont parfois encore couverts de chaume et leur faîte planté d'iris selon une tradition héritée des

cultes celtiques. Cette délicieuse cour-masure restera longtemps le symbole de la campagne cauchoise car elle a souvent été reprise comme villégiature.

Le bourg commerçant qui anime le cœur de ce terroir est aussi une sorte de symbole grâce à un caprice de l'Histoire repris en chanson : "le roi d'Yvetot" a bel et bien existé aux XVe et XVIe siècles, disposant du droit de haute et basse justice et frappant monnaie de cuir, en vertu d'une de ces fantaisies que le Moyen Age

Le fameux chêne d'Allouville-Bellefosse (1). Les falaises de St-Valéry-en-Caux (2). Un vitrail de l'église d'Yvetot (3).

affectionnait. A quelque distance, se trouve l'un des plus vieux arbres de France, le chêne millénaire d'Allouville-Bellefosse, auquel un pèlerinage est consacré : il ne faut donc pas s'étonner de le voir abriter deux chapelles superposées dans son vaste tronc ! Des architectures moins extravagantes sont bien sûr disséminées dans les vastes horizons du plateau cauchois, depuis toujours balayé par le vent de l'Histoire. Ce sont, par exemple, les ruines féodales d'Arques-la-Bataille rappelant le combat désespéré et victorieux du futur Henri IV assiégé par les catholiques, ou encore les murs Renaissance de Miromesnil qui ont vu naître le meilleur conteur du pays de Caux en la personne de Guy de Maupassant.

3 ▽

C'est cependant à Fécamp, la ville où habita l'écrivain, que se trouvent les joyaux de la région, serrés dans l'embouchure du ru de Valmont entre les plus hautes falaises de la côte. La légende attachée à la relique du *Précieux Sang* fit en effet de Fécamp le grand lieu de pèlerinage de la Normandie, bien avant le Mont-Saint-Michel. La richesse de l'abbaye primitive lui valut d'être pillée par les Vikings, mais, résidant à Fécamp, les successeurs de Rollon lui rendront au centuple son faste et son rayonnement. Ils font bâtir l'abbatiale de la Trinité et un monastère auquel ils donnent comme abbé le grand clunisien Guillaume de Volpiano : par ses dimensions de cathédrale et plus encore par son architecture et les œuvres d'art qu'elle abrite, cette église est l'un des monuments essentiels de la province, toujours vénéré par de nombreux pèlerins. Les bénédictins de ce monastère qu'on appelait "la Porte du Ciel" sont à l'origine d'un autre pèle-

1 △ 2 ▽

rinage tout à fait profane. En 1510, un moine herboriste inventa un élixir de santé dont la recette disparut avec l'abbaye à la Révolution mais fut retrouvée par un certain Alexandre Legrand : *La Bénédictine* commençait la carrière que l'on sait. Son musée a pour cadre un étonnant "palais abbatial", œuvre récente d'un émule de Viollet-Le-Duc qui s'embrouilla quelque peu dans les styles ; ces bâtiments sont toutefois d'un grand intérêt car ils présentent de riches collections artistiques et tout ce que l'on a pu sauver de l'ancienne abbaye.

A côté de l'élan mystique, Fécamp a toujours vécu de son port, mais les terre-neuvas l'ont maintenant déserté et il faut parcourir le musée municipal pour cultiver la nostalgie de la grande pêche et de la marine à voile.

La ville (1 et 4) et les falaises (3) de Fécamp. L'intérieur du Musée de la Bénédictine (2).

3 △ 4 ▽

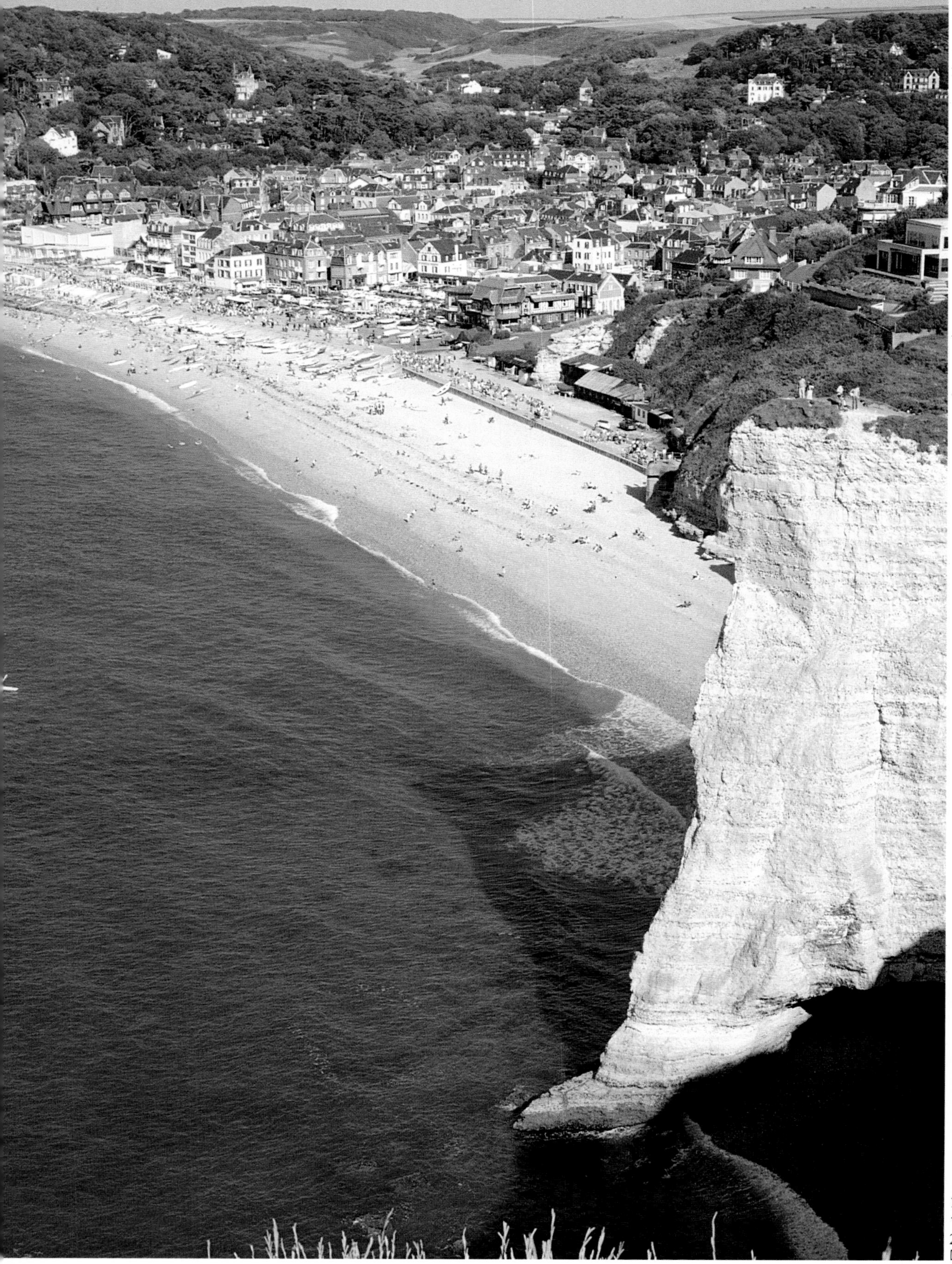

1 ◁
2 ▷

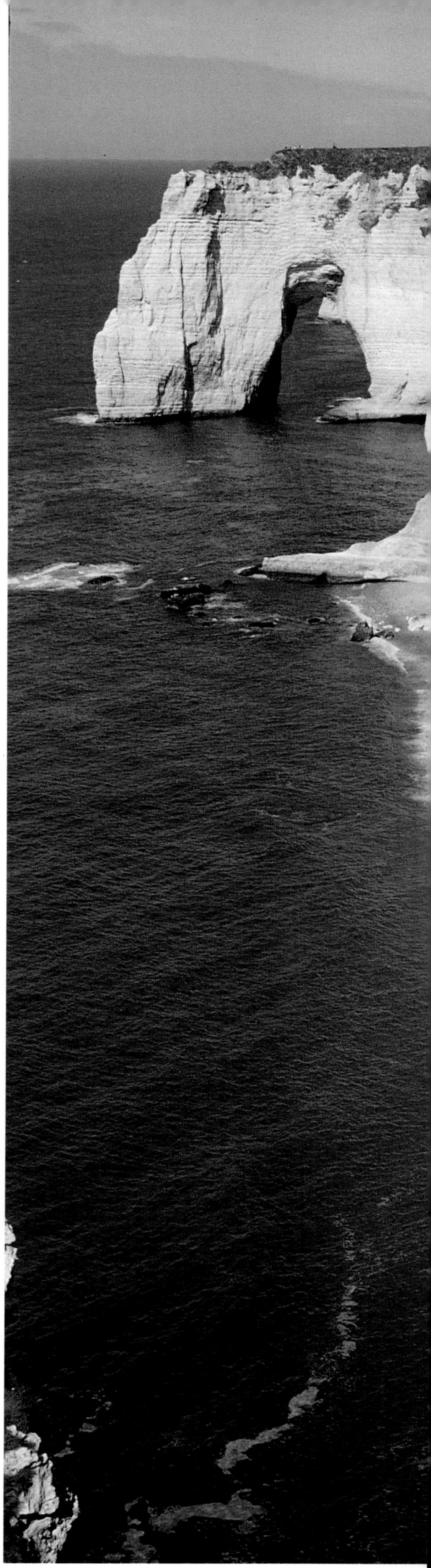

ETRETAT, THEATRE DE CRAIE

C'est à Etretat et ses falaises que revient le mérite d'avoir popularisé les rivages marins au point de les intégrer dans l'inconscient collectif à l'égal de la pointe du Raz. Les premiers fidèles furent les peintres et les écrivains : dès 1823, Isabey qui inventa aussi Trouville, vint y brosser des marines et des natures mortes de poissons, tandis qu'Alphonse Karr dépeignait les lieux avec enthousiasme dans ses romans, ajoutant : Si j'avais à montrer la mer à un ami pour la première fois, ce serait Etretat que je choisirais. Aujourd'hui, l'on fixe plus volontiers ce site sur la pellicule que sur la toile, mais son attrait est toujours aussi puissant à en juger par l'affluence estivale de la coquette station teintée de rose au fond de sa vallée verdoyante.

Il ne restait guère de traces de la communauté de pêcheurs qui œuvrait au Perrey devant les chevalets de Courbet ou de Monet, aussi décida-t-on de restaurer quelques-unes des "caloges" de l'ancien port d'échouage

d'Etretat : ces bateaux aux membrures fatiguées étaient reconvertis naguère en remises à matériel après avoir été goudronnés et chapeautés d'un toit de chaume. Au-delà de cette grève des pêcheurs qui a retrouvé sa couleur locale, s'élève la falaise d'Aval et sa fameuse Porte où Maupassant voyait un "éléphant plongeant sa trompe dans la mer". Quant à l'Aiguille non moins célèbre qui dresse en vis-à-vis ses 70 mètres de hauteur, elle inspira à Maurice Leblanc un de ses romans les plus réussis, *l'Aiguille creuse*, où l'on découvre qu'Arsène Lupin avait dissimulé son repaire à l'intérieur de cet obélisque de calcaire. La falaise se prolonge par la valleuse de Jambour abritant le Petit-Port, et la Manneporte, une arche massive sous laquelle la marée basse libère un passage. Au plus près des crêtes, le Sentier des Douaniers permet de voir dans une

Divers aspects d'Etretat (1, 2 et 4). Les halles (3). En pages suivantes : la falaise d'Aval, à Etretat.

3 △   4 ▽

autre aiguille la "Chambre des Demoiselles", une grotte légendaire dont Maupassant encore fit une description détaillée. Ce décor de falaises et de galets s'interposant entre la mer et la campagne fut en effet le terrain de jeux de son enfance et plus tard le succès venu, il revint souvent à "la Guillette", la maison qu'il s'était fait construire à Etretat. C'est un chalet à peine remarquable parmi les villégiatures plus ou moins récentes qui se serrent au creux du vallon, chair d'une cité dont le noyau historique ne comprend que les vieilles halles et l'église Notre-Dame. A l'origine, ce sanctuaire était une dépendance de l'abbaye de Fécamp et, mise à part la tour-lanterne qui date des débuts du gothique, c'est un intéressant témoignage du style roman de Normandie.

Placée en vigie sur le rebord de la falaise d'Amont, la silhouette trapue de Notre-Dame-de-la-Garde évoque un peu une chapelle bretonne avec son mur-chevet descendant jusqu'au sol.

LE HAVRE, LA VOCATION OCEANE

Autour du nom du Havre flotte comme un parfum désuet de grands départs transatlantiques – qui n'a pas rêvé à l'évocation du plus fastueux des paquebots, le mythique "Normandie" ? – même si, avec la guerre et le développement de l'aviation, tous les souvenirs de cette époque ont disparu de la ville. A la pointe du pays de Caux et au débouché de la vallée de la Seine, Le Havre ne peut être que la Porte Océane, épithète obligée inscrite dans son architecture avec la monumentale perspective de l'avenue Foch.

A la manière de Saint-Nazaire, mais beaucoup plus précocement, le port du Havre fut créé de toutes pièces dans les marécages d'une embouchure fluviale pour pallier l'envasement de ports situés en amont, Honfleur, Leu, Caudebec et Harfleur. La décision fut prise en 1517 par François Ier et la chapelle Notre-Dame-de-Grâce qui veillait solitaire sur ces marais, donna son nom de Havre de Grâce au nouveau port, conçu par l'urbaniste Jérôme Bellarmato à la "façon Venise".

Au lendemain de la guerre, devant le monceau de décombres qu'était devenue la cité la plus ravagée de France, beaucoup s'offusquèrent de voir la reconstruction confiée à Auguste Perret pour qui le béton était un matériau noble se suffisant à lui-même, mais était-il possible de refaire un "Vieux Havre" et l'Histoire l'avait-elle jamais vraiment marqué de son empreinte ? Autour du boulevard François Ier, de la rue de Paris aux arcades évoquant celles de Rivoli et de l'avenue Foch qui joue les Champs-Elysées de la place de l'Hôtel de Ville à la Porte Océane, la ville nouvelle dresse ses blocs aux lignes basses et dépouillées. Selon le rythme voulu par Perret, ces immeubles font la part belle à la lumière, aux espaces fleuris et aux jaillissements des deux phares que sont l'Hôtel de Ville et l'église Saint-Joseph, à défaut de la tour immense souhaitée par l'architecte.

1 △ 2 ▽

Dans cet ensemble portuaire d'un gigantisme que symbolise l'écluse François Ier sans équivalent au monde, les montagnes de containers et la rue industrielle s'étendant sur l'estuaire ont un peu tué le pittoresque ; cependant au fil des eaux luisantes, une visite en vedette fait découvrir un univers fascinant de monstres à la puissance tranquille sur lequel il n'est pas impossible de poser un regard d'artiste. L'embarquement se fait au port des yachts au-delà duquel, derrière la digue nord, s'allonge la plage très prisée des Havrais avant que la côte ne s'élève avec les falaises de Sainte-Adresse et le cap de la Hève.

Ces reliefs bordant la ville au nord sont autant de belvédères sur le port et les quartiers bas, le fort de Sainte-Adresse et la côte d'Ingouville comptant parmi les plus fameux. Vers l'est, Graville est surtout connu pour l'église Sainte-Honorine, une abbatiale aux lointaines origines, puis les hauteurs s'effacent avec la vallée de la Lézarde et Harfleur.

Le Havre. Le port de plaisance (1 et 3). L'église Notre-Dame (2). La plage et le front de mer (4).

HONFLEUR, FASCINATION DES PEINTRES

"Malheur aux peintres qui ne sont pas nés au bord d'une rivière ou de la mer!" s'exclamait Raoul Dufy, songeant assurément à Eugène Boudin, enfant de Honfleur et autodidacte génial dont les yeux de marin savaient déchiffrer les mirages du sol, de l'eau et du ciel mêlés en cette mouvante baie de Seine. Comment rêver meilleur cadre pour l'épanouissement d'une vocation que cette ville au charme délicat, baignant dans une lumière à nulle autre pareille? Les peintres qui ont connu Honfleur ont tous tenté d'en apprivoiser les reflets sur la toile, à la façon de Boudin avouant "caresser un nuage comme une épaule de femme": avec ses amis Jongkind, Courbet, Monet ou même Baudelaire qui y composa *L'Invitation au voyage*, ce précurseur fit de sa ville natale le berceau d'une nouvelle peinture. Depuis un siècle et demi, les artistes reviennent sur les pas de ces visionnaires, dans les rues, le long des quais et sur la colline, puiser à la source cette lumière gris d'argent, d'ardoise ou de plomb, cet instant fluide et frémissant toujours renouvelé. Beaucoup d'autres viennent à Honfleur goûter simplement l'har-

1 △ 2 ▽

monie d'un port unique, bien vivant dans un décor du temps jadis dont chaque touche a la saveur de l'authentique. Ni ville-musée pétrifiée derrière des façades trop nettes, ni alignement de boutiques de souvenirs, Honfleur mérite bien son titre de Perle de l'estuaire.

Les débuts de ce port adossé au plateau boisé de la Côte de Grâce sont contemporains de la naissance du duché et plusieurs expéditions guerrières des Anglais valent rapidement des fortifications à ce hâvre de pêcheurs. Au début du XVIe siècle, la paix revenue permet à ces marins de se lancer dans le commerce et les expéditions lointaines, sans dédaigner à l'occasion de se faire corsaires. Des escales nouvelles au Brésil, au Labrador, à Terre-Neuve et Sumatra sont aussitôt transformées en fructueuses destinations de pêche, en comptoirs et même en colonie, comme le Québec, fondé en 1608 par Champlain et ses équipages

Honfleur. Le Vieux Bassin (1). La «Lieutenance» (2 et 3). Maisons des quais (4). En pages suivantes: vue d'ensemble.

jusqu'aux anciens fossés après la démolition des remparts. Cet épisode explique l'allure si particulière des maisons bordant les quais car les terrains ainsi libérés sur la contrescarpe furent lotis en étroites parcelles, obligeant les bâtisseurs à empiler les pièces les unes sur les autres jusqu'à six et sept étages. L'extrême disparité des matériaux et des modes de construction achève de donner à ce Vieux Bassin l'apparence d'un port de conte de fées. Près du pont tournant, la Lieutenance, qui figure bien le château indispensable à une telle histoire, est l'ancienne porte de Caen, seul vestige des remparts, en vis-à-vis du clocher de châtaignier de l'église Saint-Étienne, reconvertie en Musée de la Marine. Décidément prodigues en architectures originales, les Honfleurais se sont donnés un sanctuaire jamais vu avec l'église Sainte-Catherine. Faute de tailleurs de pierre assez nombreux après la guerre de Cent Ans, on fit avec les moyens du bord, et, devant les carènes renversées qu'évoque cette double nef entièrement en bois, on se prend à imaginer les "maîtres de hâche" du chantier naval appliquant leur savoir à ce vaisseau qui n'allait jamais prendre la mer. Quant au clocher, rien de plus simple, décidèrent-ils, en l'installant par-dessus la maison du sonneur au beau milieu de la place biscornue où se tient le marché, bien appuyé sur des béquilles de chêne, le tout couvert d'ardoises et de bardeaux à la mode du pays.

Des hôtels cossus de la rue Haute, favorite des armateurs, aux "charrières" taillées à la mesure des essieux d'antan en direction des bois de la Côte de Grâce, Honfleur montre d'autres charmes, moins spectaculaires mais très attachants. Ce sont les galeries de peinture ou les boutiques d'antiquaires de l'Enclos, les expositions d'art contemporain sous les savantes charpentes des greniers à sel ou encore les artisans aux gestes ancestraux qui animent ici une forge, là, une presse à relier ou un four de verrier.

Honfleur: la Porte de Caen (1). L'église Ste-Catherine (2); l'église Notre-Dame-de-Grâce (3) et ses ex-voto (4).

1 △   2 ▽

honfleurais. Afin de permettre l'extension du port dans de nouveaux bassins, les fortifications sont détruites en 1690 et de vastes greniers à sel sont édifiés pour alimenter les morutiers. Les armateurs et les marins de Honfleur connaissent à ce moment leur âge d'or et ne craignent pas la concurrence du Havre. C'est la perte des territoires du Nouveau Monde qui met un terme à cette prospérité : le port s'endort doucement au cours du XVIIIe siècle et ses quais ne reçoivent plus que les caboteurs et les pêcheurs côtiers. Un certain regain d'activité se manifeste ensuite avec le commerce du bois, insuffisant cependant pour faire de la cité un point stratégique lors du dernier conflit qu'elle traversa sans dommages. De nos jours, Honfleur est redevenu un port dynamique grâce à des installations extérieures qui n'ont affecté en rien le cachet de la vieille ville.

Celle-ci se presse autour du Vieux Bassin creusé à l'initiative de Duquesne puis étendu

LE MARAIS VERNIER ET
LA CORNICHE NORMANDE

La Normandie herbagère, éclatante et mouillée que décrivait le poète honfleurais Lucie Delarue-Mardrus, commence dès la fameuse auberge Saint-Siméon et les perspectives du bocage ont fasciné les peintres presqu'autant que le ciel et les eaux. Bazille qui plantait souvent son chevalet à côté de celui de Monet, n'écrivit-il pas : "Ce pays est le paradis. On ne peut voir plus grasses prairies et plus beaux arbres. La mer ou plutôt la Seine élargie donne un horizon délicieux à ces flots de verdure...". En bordure de ce terroir se trouve la Côte de Grâce dont Corot a fait une admirable composition : cette promenade classique au-dessus de Honfleur révèle près du calvaire un vaste panorama sur la baie. Non loin, sous de magnifiques arbres, la chapelle Notre-Dame de Grâce est un important sanctuaire de pèlerinage qui fut construit par les Honfleurais vers 1600 en remplacement de celui érigé aux débuts du duché par Robert-le-Magnifique.

Intacte depuis l'époque des Impressionnistes, cette campagne du pays d'Auge finissant demeure attachante par sa variété. En direction des reines balnéaires que sont Trouville et Deauville, la corniche normande porte de belles propriétés de vacances et trois villages pittoresques : Vasouy, relié à la mer par un escalier, Cricquebœuf dont l'église, une rustique "chapelle aux lierres" du XIIe siècle se reflète dans un étang, et Villerville, accueillant pêcheurs et estivants au creux de ses rochers. Avant la vallée de la Touques, la forêt de Saint-Gatien marque le sud de ce plateau du Lieuvin, limité à l'opposé par la Risle et un ancien méandre de la Seine maintenant couvert de vergers. Avec des haies parfois grandes comme des boqueteaux, les bouquets des pommiers, les prairies tendres nonchalamment peuplées de vaches pie et des vallées bien creusées coupant le bocage, c'est un morceau de Normandie plus vrai que nature.

D'autant plus surprenante se révèle la terre basse qui s'étend au-delà de la Risle avec le marais Vernier inscrit dans sa couronne de collines. Là, les chevaux n'ont rien de commun avec les pur-sang de la Côte Fleurie puisque ce sont des camarguais, frères sauvages de Crin-Blanc ; et les vaches elles-mêmes semblent appartenir à un autre temps avec leur abondante toison d'où pointent des cornes menaçantes. Le Parc Naturel régional de Brotonne a inclus le marais Vernier dans ses limites, et sans qu'il faille pousser trop loin la comparaison avec la Camargue, la découverte à pas lents et silencieux de cet espace préservé procure des moments intenses.

Vers Pont-Audemer, l'imagerie familière de Normandie reprend, avec "les champs nus et les cieux chargés" qui évoquent déjà le pays d'Ouche et les fantômes magnifiques des héros de La Varende, Nez-de-Cuir, le Centaure de Dieu ou encore la frêle Man-d'Arc.

Vue aérienne du port de Honfleur (1). Le célèbre Manoir St-Siméon (2). La chapelle aux Lierres, à Criquebeuf (3).

2 △   3 ▽

LITTERATURE EN PAYS D'OUCHE

La tradition fait de la Risle la frontière entre la haute et la basse Normandie, mais ces termes un peu académiques ne traduisent pas une réalité aisément perceptible dans le paysage : le cours inférieur de la rivière sépare de petits terroirs, Roumois, Neubourg et Lieuvin, tandis que plus haut, avec la Charentonne, elle coupe en deux les froides étendues du pays d'Ouche. Originale, cette contrée l'est autant par ses aspects que par ses gens hauts en couleurs et les écrivains ont puisé à pleines mains dans ce réservoir d'images : ce sont les hobereaux de La Varende défendant leur honneur à grand fracas, les passions invincibles et extravagantes des héros de Barbey d'Aurevilly, ou encore les savoureuses scènes du quotidien croquées avec bonheur par la comtesse de Ségur.

Aux confins du Perche, L'Aigle est une cité qui rassemble quelques éléments de cette singularité : ses maisons aux toits de tuiles sont faites de silex ou de briques ocres et rosées, à quoi l'église Saint-Martin ajoute le grison, une curieuse pierre locale évoquant le pain d'épices. Cette roche est un aggloméré ferrugineux dont l'exploitation revigora au début du XIXe siècle une région alors limitée à une agriculture d'un médiocre rendement. Tous les moulins de la haute vallée de la Risle furent transformés en chaudronneries, fabriques de pointes et d'aiguilles, un artisanat devenu industrie au siècle suivant avec les grandes usines qui

animent encore l'économie locale. Face à un groupe de ces ateliers, à Aube-sur-Risle, le château des Nouettes est devenu une maison pour enfants après avoir vu naître "Les petites filles modèles" : le musée voisin de Ségur-Rostopchine fait revivre l'atmosphère où évoluait cette femme du monde faussement ingénue. En aval, Rugles continue la tradition métallurgique, mais la Ferrière ne porte plus que dans son nom la trace de ces activités certainement très anciennes.

Avant de poursuivre le cours de la rivière, il convient de s'en éloigner pour trouver l'une des capitales historiques du pays, Conches-en-Ouche, une cité à l'histoire tumultueuse comme on peut l'imaginer en la découvrant étirée sur un éperon que contourne le Rouloir. Conches, en vieux français, c'est la coquille, une étymologie partagée avec Conques de Rouergue, car les deux villes ont l'origine com-

L'abbaye du Bec-Hellouin : la tour St-Nicolas (1). Le cloître et les bâtiments conventuels (2). Vestiges de l'ancienne Abbatiale (3).

3 ▽

mune d'un sanctuaire dédié à sainte Foy et abritant ses reliques. Coiffé d'une flèche bancale, l'édifice actuel date de la fin du XVᵉ siècle et possède l'un des plus beaux ensembles de vitraux Renaissance de la province.

D'immenses forêts couvrent cette partie du pays d'Ouche jusqu'à la Risle et Beaumont-le-Roger d'où s'élancent toujours de brillants équipages. Cet ancien fief des ducs de Normandie qui fut aussi l'enjeu de batailles acharnées, en particulier entre Richard-Cœur-de-Lion et Philippe-Auguste, est surtout intéressant pour son église Saint-Nicolas, pourvue de belles verrières où se côtoient le XVᵉ siècle et le contemporain.

La rivière reçoit ensuite le renfort de la Charentonne dont la vallée retirée est bien connue des pêcheurs. Cela ne l'empêche pas de baigner Bernay, principale ville de la région, qui a grandi autour de la première abbaye romane de Normandie. Fondée par Guillaume de Volpiano à la demande de Judith de Bretagne, épouse du duc Richard II, elle vient de retrouver la sobre splendeur de ses origines au

terme d'une minutieuse restauration. Bien moins important, le second bourg de la Charentonne est l'ancien Chambrais, rebaptisé Broglie au XVIIIᵉ siècle lorsque cette famille piémontaise édifia le château qui le surplombe. Dans cette demeure "aux trois cents fenêtres" se trouve une bibliothèque de rêve, patiemment réunie par trois maréchaux, deux présidents du conseil et un prix Nobel. A quelque distance, archétype du baroque, le château de Beaumesnil lui fait pendant avec son musée de la reliure qui rassemble les collections de la Bibliothèque Nationale et de la fondation Furstenberg.

Dès le confluent de la Risle et de la Charentonne, l'abbaye du Bec-Hellouin imprègne les lieux car Brionne, cité historique qui possède l'un des rares donjons carrés de Normandie est aussi la patrie du chevalier Herluin : saisi par la grâce, il fonda plus bas, dans un vallon, le monastère qui allait marquer l'Occident de son rayonnement pendant six siècles. Après ce pionnier, l'italien Lanfranc donna une dimension continentale à l'abbaye en allant à Rome

obtenir du pape qu'il levât l'interdit mis au mariage du duc Guillaume avec sa cousine Mathilde de Flandre. Il en devint archevêque de Canterbury et son compatriote Anselme, avant de lui succéder à cette charge, acheva de faire du Bec-Hellouin un phare spirituel, tissant avec l'église anglaise des liens qui ne se sont jamais rompus. En effet, selon un processus classique, les moines furent chassés à la Révolution et l'abbaye longuement pillée ensuite, mais elle ressuscita en 1948 et les relations œcuméniques séculaires sont maintenues. Isolée de l'abbatiale, la tour-clocher Saint-Nicolas a été préservée et, de sa balustrade ornée de pinacles, se révèlent le vallon et l'ordonnance harmonieuse de cette retraite, avec les bâtiments conventuels déployés en équerre devant le cloître d'inspiration italienne.

Enfin, aux approches de son embouchure, les bras de la Risle étaient autrefois navigables et le site du premier pont jeté sur ces eaux fut celui d'une prospère "Venise normande" du nom de Pont-Audemer. Longtemps spécialisée dans la tannerie, la ville a conservé de belles maisons à pans de bois, comme dans la cour Canel et l'église Saint-Ouen, illustrant la légende de son patron par de magnifiques vitraux anciens.

Le pigeonnier et les dépendances du château de Launay (1). Façade ouest du château de Beaumesnil (2). Une ferme, à Bernay (3). La Risle, à Beaumont-le-Roger (4).

1 △   2 ▽

DES PLANCHES TRES COURUES
DEAUVILLE ET TROUVILLE

A voir ces deux sœurs d'un certain âge, les pieds dans le sable, l'une "très comme il faut" et la seconde jouant les écervelées sous ses yeux, il est facile d'imaginer le genre de relations qu'elles entretiennent. De fait, il y a bien plus que la largeur de la Touques entre Trouville et Deauville, les rivales de la Côte Fleurie dont l'histoire vaut d'être rappelée.

Dans ce dernier coude de la Touques, tout commença à Trouville, un simple village de pêcheurs que le regard nouveau du romantisme transfigura : séduits par ce hâvre pittoresque, peintres et écrivains y séjournèrent dès le début du XIXᵉ siècle, en logeant chez l'habitant, puis à l'auberge de la mère Oseraie. En 1836, lorsque Flaubert adolescent fait la connaissance de Madame Schlesinger, le grand amour de sa vie qui lui inspira les précoces "Mémoires d'un fou", c'est déjà dans le cadre distingué de l'auberge de l'Agneau d'Or, et cet habitué se désolait quelques années plus tard, au début du Second Empire, que "Paris ait envahi ce pauvre pays plein de chalets dans le goût de ceux d'Enghien". La vogue de Trou-

La place manquait et, vers 1860, les anciens marais de la rive opposée, au pied du mont Canisy où végétait le hameau de Deauville, inspirent à un groupe de spéculateurs l'idée d'une nouvelle station. Il y a notamment là le duc de Morny, le banquier Lafitte, le prince Davidoff et le docteur Oliffe : leurs villas, dont certaines lancèrent le "rustique normand", marquent le début d'une croissance spectaculaire sur l'autre rive de la Touques. Le chemin de fer choisit aussi ce côté pour établir son terminus, un bassin à flot est creusé à l'extrémité, et l'hippodrome, qui comptera autant dans le succès de Deauville que la célèbre promenade, est inauguré en 1900. La suprématie mondaine de la nouvelle venue est définitivement acquise quand le maire de Trouville, battu aux élections de 1911, passe à son tour le pont des Belges pour fonder à Deauville un casino et le somptueux hôtel "Normandy", afin de rivaliser avec l'ingrate station dont il avait assuré le lancement.

Rien ne paraît pouvoir entamer le dynamisme de Deauville dont les créations de l'après-guerre – un second hippodrome, une piscine et des thermes marins – semblent broutilles au regard des audacieuses perspecti-

2 △ 3 ▽

1 ◁

ville n'en était pourtant qu'à ses débuts et ces villégiatures, plus souvent dans le style suisse que dans celui de la province, avaient surtout colonisé les pentes du côteau d'Aguesseau, au-dessus du port de pêche. La vie mondaine gagna ensuite la plage où fut installé un casino sous chapiteau de toile, rapidement remplacé par une construction tarabiscotée à l'orientale à laquelle succéda le vaste édifice blanc de style Louis XVI, voisin maintenant des grands hôtels. Ce fut alors, sur le front de mer, à qui posséderait la villa la plus luxueuse ou la plus originale, un délire très kitsch encore visible du côté de la corniche.

ves de Port-Deauville, une marina gagnée sur la mer... et sur l'horizon des Trouvillais. Cosmopolitisme et raffinement caractérisent toujours la fréquentation de Deauville et l'ambiance ainsi entretenue, parfois déroutante, reste inimitable : le Grand Prix suivi du bal fameux, le Gala des courses pour l'attribution de la Cravache d'Or, les courses de polo, les régates, les défilés de mode et les grands dîners où il faut être vu...

Trouville. La plage (1) et le port (2 et 4). Une vue sur la mer (3).

4 △

1 △   2 ▽   3 ▽

Irrémédiablement distancée dans cette course aux mondanités, Trouville a cependant gardé sa renommée et elle tire maintenant avantage de sa différence en cultivant un charme suranné autour d'un noyau urbain toujours animé par la pêche côtière. La ville possède aussi ses "planches", bordées d'un aquarium écologique, riche de milliers d'espèces, un établissement thermal moderne pour les cures marines et un musée de peinture fort intéressant. Celui-ci a pour cadre la villa Montebello qui pousse les luxuriances de sa façade 1870 au-dessus du front de mer et ses collections montrent à quel point la naissance de la station est liée aux artistes du début du XIXe siècle, Eugène Isabey, Charles Mozin, que beaucoup considèrent comme le vrai "découvreur", Eugène Boudin et Honoré Daumier, dont le crayon impertinent nous livre une image plaisante des bains de mer, quand ces dames étaient conduites jusqu'à la mer dans des cabines attelées. Plus tard, viennent Raoul Dufy, Van Dongen et André Rambourg, mais déjà Deauville attire leurs regards et peut-être est-ce aussi bien ainsi, le rapprochement de deux stations aussi dissemblables donnant un charme supplémentaire à la Côte Fleurie.

Deauville : le casino (1), l'entrée du célèbre Hôtel Normandy (2 et 3), les «Planches» (4), l'hippodrome (pesage) de la Touques (5).

1 △ 2 ▽

3 ▷

PAYS D'AUGE
PAYS DU BIEN MANGER

Tout ce que la Normandie comporte de plantureux est résumé dans l'arrière-pays de la Côte Fleurie, autour de la vallée de la Touques et jusqu'à la côte d'Auge qui précède la Dives. Issu d'un sol d'argile à silex, généralement considéré comme peu généreux, un bocage parfait noie les ondulations du paysage sous un océan de verdure et c'est derrière "ce plat d'oseille crue" qui agaçait les dents de Flaubert qu'il faut rechercher le pays de cocagne. Les pommiers fleuris en bouquets de mariée signifient cidre et calvados, les bœufs gras font la viande des bonnes tables parisiennes, les vaches tachées de brun ou de noir sont la crème et le beurre, les fermes en colombage à toit de chaume ou d'ardoise ont encore la laiterie à goût de fromage fameux, Livarot, Pont-l'Evêque ou Camembert, tandis que la volaille

qui caquète entre les bâtiments évoque le savoureux poulet "vallée d'Auge" aux petits oignons... A cet élevage servant la haute gastronomie, il convient d'en ajouter un autre, pratiqué dans le décor aristocratique des manoirs qui parsèment ce pays d'Auge, comme autant de petits haras rivalisant dans la production des pur-sang.

Avec cette bonne chère, une pittoresque petite cité s'est fait un grand nom depuis le Moyen Age : tendre et onctueux, ainsi que le décrivait Guillaume de Lorris dans le Roman de la Rose, le Pont-l'Evêque – il s'appelait alors "l'angelot" – ne peut voir le jour ailleurs qu'au cœur du pays d'Auge car pour le réussir, il faut disposer de lait encore tiède et crémeux. La ville dont ce fromage tire son nom occupe le centre d'une plaine d'herbages où la Calonne et l'Yvie convergent vers la Touques, un site privilégié où l'un des premiers évêques de Lisieux fit jeter un pont. A la façon de Pont-

Audemer, ce point de passage obligé devint un marché régional dès l'an mil, puis un chef-lieu administratif pour la région qui ne céda pas ses prérogatives à Lisieux avant l'époque moderne. C'est pourquoi cette ville modeste possède tant de belles demeures, dominées par la tour carrée de la grande église flamboyante de Saint-Michel, et encore a-t-elle beaucoup souffert des combats lors du débarquement. Flaubert, qui avait une partie de sa famille à Pont-l'Evêque, décrit le détail de ce décor ancien dans *Un cœur simple* et il est remarquable que la reconstruction de l'après-guerre ait été assez habile pour ne pas en trahir l'ambiance. La place du tribunal, parée d'une solennité qui n'est plus de mise, dit bien l'ancien rang de la ville, symbolisé par les étages de brique rose et de pierre de taille où l'on conservait les archives de la vicomté d'Auge au XVIᵉ siècle. Des rues aux vieilles façades ouvrant sur des cours ou des échoppes de

4 △ 5 ▽

bourreliers s'éloignent le long de l'Yvie, et depuis bientôt cinq cents ans, l'auberge de l'Aigle d'Or reçoit les visiteurs dans ses chambres bordées d'une galerie en encorbellement. Plus récents, les hôtels de Montpensier et de Brilly montrent la polychromie des murs de brique à chaînage de pierre qu'affectionnaient les notables de l'Ancien Régime.

En campagne, tranchant sur la brique ou le colombage, il ne fallait pas plus de quelques lignes de ces pierres, si rares en pays d'Auge, pour transformer une grosse ferme et l'anoblir du titre de manoir : ainsi aux côtés d'authentiques châteaux, compte-t-on plus d'une centaine de ces demeures de prestige au fil de la vallée de la Touques, entre la mer et Lisieux.

Une vue de Pont-L'Evêque (1) et une ancienne façade (2). Le château et l'église de St-Germain-de-Livet (3 et 4). La porte fortifiée du château de Fervaques (5).

Le pommier en fleurs, ornement et symbole de la Normandie printanière (1 et 2). «Et les fruits passeront la promesse des fleurs»... *(3, 4, 5). Anciennes bouteilles de Calvados (6).*

6 ▽

1 △   2 ▽

3 △ 4 ▽

Cette dernière est le pôle géographique et économique du terroir, sur un site qui marquait le terme du cours navigable de la Touques. Jouant le même rôle de carrefour que Pont-l'Evêque, Lisieux a une origine beaucoup plus ancienne puisqu'elle était au début de notre ère la capitale des Lexoviens et qu'elle fut siège épiscopal dès le VIᵉ siècle : deux conciles y furent même tenus peu avant l'époque du mariage d'Henri II Plantagenêt et d'Aliénor d'Aquitaine, qui scella en ces lieux la naissance d'un grand royaume aux allures d'empire. Lisieux, tour à tour prise, libérée, fortifiée et ouverte, traversa l'Histoire sans trop perdre son intégrité, jusqu'au désastre de 1944 qui ravagea son exceptionnel ensemble de maisons de bois. A ce moment-là déjà, sor-

La cathédrale St-Pierre (1) et la Basilique Ste-Thérèse (2), à Lisieux. Le château de Victot-Pontfol (3) et celui de St-André-d'Hébertot (4). En pages suivantes : façades de manoirs du Pays d'Auge (A et B).

tait de terre le monument qui écrase aujour-d'hui Lisieux de sa masse, la basilique Sainte-Thérèse.

Ayant pris le voile des carmélites à l'âge de quinze ans, sœur Thérèse de l'Enfant Jésus touche immédiatement aux sommets du mysticisme et fait de sa brève existence un modèle de sainteté : dès sa disparition en 1897, les pèlerins viennent se recueillir sur sa tombe et le Vatican la canonise en 1925. Peu après commencent les travaux de la basilique romano-byzantine qui domine la cité : c'est une des plus grandes églises de notre siècle, à la mesure des foules considérables qui s'y pressent depuis sa consécration en 1954.

A ceux que l'architecture controversée de la basilique rebuterait, Lisieux offre une alternative de choix avec les monuments rescapés des bombardements et en premier lieu l'église Saint-Pierre, l'ancienne cathédrale édifiée aux XIIe et XIIIe siècles. Dans le style Louis XIII, le palais de justice qui lui est adossé était le palais épiscopal, surtout connu pour sa Salle Dorée, tendue de cuir de Cordoue sous un magnifique plafond à caissons.

MANOIRS ET FROMAGES

Un puissant fumet qui inquiète les non-initiés, une pâte molle légèrement salée et le curieux surnom de "colonel" emprunté aux cinq lanières de roseau dont on l'entoure pendant les cent jours de son affinage, tel se présente le Livarot, prince des fromages normands auprès du Pont-l'Evêque qui, selon les connaisseurs, serait leur roi. Quant au Camembert, point n'est besoin de le décrire tant son succès est universel mais il était aussi ancien, artisanal et rare que ces ancêtres de la gastronomie avant d'être démocratisé par l'industrie laitière : la variante moderne de ce fromage du terroir a été mise au point au siècle dernier par Marie Harel, une fermière à laquelle le très discret village de Camembert doit d'être connu du monde entier. Ces productions sont l'apanage de la partie méridionale du pays d'Auge, autour de Vimoutiers, où le bocage couvre des pentes plus accentuées préludant aux collines du Perche.

La vallée abrite quelques-uns des plus remarquables manoirs normands, au même titre que le cours supérieur de la Touques. Entouré d'arbres et de douves en eau, sur une motte féodale qui surveillait "la route du roi" de Lisieux à Bayeux, Crèvecœur-en-Auge conserve le caractère de forteresse de ses débuts en y ajoutant le charme des pans de bois et un exceptionnel colombier carré du XVe siècle. L'architecture normande est à l'honneur dans le musée qui l'accueille, asso-

en manoir à vocation agricole.

A peu de distance, mais cette fois au milieu des eaux de la Touques, on ne peut manquer de mentionner le château de Fervaques où Chateaubriand résida plusieurs fois à l'invitation de sa tendre amie Delphine de Custine. La plus charmante construction du pays d'Auge est probablement en direction de Lisieux, le château en miniature de Saint-Germain-de-Livet, "un petit bijou pour une princesse-enfant" selon le mot de La Varende. Il est vrai que l'on peut croire à une illusion en découvrant son étonnante façade plaquée d'un damier irrégulier de tuiles vernissées du Pré-d'Auge de couleur verte, rose et ocre, à quoi s'ajoutent les briques, les pierres blanches et un logis en colombage.

Aux confins du pays d'Ouche, près des sources de l'Orbiquet qui trace vers la Touques l'une des plus agréables vallées de la région, Orbec est une ville d'art très attachante, riche des vestiges de sa prospérité passée : de la Renaissance datent l'église Notre-Dame aux trois nefs couvertes de voûtes de bois et le Vieux Manoir dont les pans de bois sont richement sculptés.

A l'opposé, la limite du pays d'Auge est marquée par Saint-Pierre-sur-Dives qui était le grand marché d'échange avec les plaines céréalières de Caen et de Falaise, en même temps qu'un important foyer monastique. Pour l'anecdote, cette ville a aussi un rôle capital dans la production des fromages, car c'est de ses ateliers que sortent la plupart des boîtes rondes ou carrées

2 △ 3 ▽

1 ◁

ciée de façon inattendue à l'histoire de la recherche pétrolière dont les méthodes furent expérimentées dans la région par les frères Schlumberger. Granchamp est plus composite encore, juxtaposant sur une dérivation de la Vie, les époques et les matériaux les plus divers, dont un remarquable pavillon à pans de bois s'élevant sur quatre étages devant un jardin à la française. En amont Coupesarte constitue une vision de rêve, émergeant de larges douves où frissonne le reflet de ses tourelles d'angles à béquilles. Il est difficile d'imaginer demeure plus normande que cette ancienne place-forte habilement transformée

qui sont l'écrin de ces éphémères bijoux normands. Toujours commerçante, la cité voit chaque lundi s'animer un pittoresque marché sous les vastes halles moyenâgeuses, alors qu'avec l'église, les bâtiments conventuels remis en valeur forment l'un des ensembles monastiques les plus complets de la province, un atout touristique non négligeable.

Le manoir de Bellou (1). Stèle en l'honneur de Marie Harel, créatrice du Camembert (2), et statue de celle-ci (4). La campagne aux environs de Camembert (3). L'affinage du célèbre fromage (5).

Le manoir de Coupesarte (1). Un détail de la façade (2). La cour intérieure (3).

1
◁

HOULGATE ET CABOURG, UN PARFUM DE LA BELLE EPOQUE

Une pléiade de stations balnéaires s'étend sur la Côte Fleurie à la suite de Deauville, chaque fois que le littoral s'abaisse assez pour elles : certaines sont éclipsées par cette étoile de première grandeur brillant sur l'estuaire de la Touques, mais deux d'entre elles au moins, Houlgate et Cabourg, ont pu se faire une belle place au firmament estival. Les falaises sont parfois en retrait de la côte, comme celles des stations jumelles de Bénerville-Blonville aux douces plages familiales, mais elles s'avancent aussi dans la mer avec les célèbres "Vaches Noires", paradis des amateurs de fossiles. A cet endroit, le plateau d'Auberville où se pressent les campings, s'écroule vers le rivage en un paysage lunaire et les blocs détachés du sommet gisent sur la grève couverts de varech, évoquant depuis le large de gros ruminants endormis. Cet amoncellement marque la fin de la longue plage de Villers-sur-Mer.

Maintenant devenue une active petite ville industrielle, Dives-sur-Mer a été coupée du large par l'envasement de l'estuaire qui a peu à peu encerclé son port dans les marécages. Baptisée du nom de sa rivière, la ville était auparavant une escale maritime importante, à jamais rendue fameuse par l'expédition de Guillaume partant conquérir l'Angleterre.

Dives-sur-Mer cultive ce souvenir avec l'hostellerie dédiée à Guillaume le Conquérant, un relais de poste qui fut transformé en hôtel de luxe aux illustres visiteurs avant de devenir récemment un ensemble de boutiques d'artisanat. A l'écart de la rivière, le vieux quartier comprend également le manoir de Bois-Hibou et de magnifiques halles charpentées de chêne qui font un contraste saisissant avec les usines métallurgiques des bords de Dives autant qu'avec les villas et les avenues géométriques de Cabourg.

L'histoire de cette station est aussi simple que son plan en demi-lune centré sur ce qui constitue sa raison d'être, le Casino et le Grand Hôtel. A cet endroit où le jeune duc de Normandie s'était déjà illustré en rejetant à la mer les troupes du roi de France Henri Ier, n'existaient que dunes et lagunes portant quelques maisons de pêcheurs. En 1860, des promoteurs s'emparent des lieux pour rééditer à leur profit ce qui avait si bien réussi à Trouville et créent de toutes pièces les bains de Cabourg, dont plusieurs directeurs de théâtre parisiens et leurs acteurs assurent le succès. La ville a peu changé depuis et la parcourir, c'est aussi plonger "A l'ombre des jeunes filles en fleur" dans le Balbec de Marcel Proust. La Promenade des Anglais a été débaptisée pour être consacrée à ce grand personnage local – il resta fidèle à la station de 1907 à 1914 après

3 ▽   4 △

2
◁

5 ▽

l'avoir découverte enfant – et l'ambiance invite à retrouver, avec le regard de l'écrivain, les larges avenues ombragées "où la villa d'Elstir était peut-être la plus somptueusement laide", convergeant en éventail vers le Grand Hôtel, "ce décor pour le troisième acte d'une farce". Proust exigeait d'y loger sous les combles, à l'abri du bruit, des courants d'air et du soleil, lui qui s'émerveillait de voir Albertine et ses amies jouer les espiègles, "au grand air, devant les vagues".

Les célèbres stations balnéaires de Cabourg (1) et Houlgate (2). La «Maison des Pêcheurs» d'Houlgate (3). A Dives-sur-Mer: l'Hostellerie de Guillaume-le-Conquérant (4) et l'église Notre-Dame (5). En pages suivantes: riche et belle, la campagne normande.

CAEN, LA CITÉ
DE GUILLAUME ET MATHILDE

Avant d'avoir fait respecter par la force ses droits au trône d'Angleterre, Guillaume avait conquis de la même façon le cœur de Mathilde des Flandres : on se souvient du refus de la belle : "Plutôt être nonne voilée que donnée à un batard", et de l'expédition de ce soupirant peu banal qui lui administra une magistrale correction. La méthode était bonne, semble-t-il, puisque le mariage fut célébré sur ces entrefaites, scellant une union heureuse et durable. Pourtant, les époux eurent longtemps un pro-blème majeur car ils étaient aussi liés par un lointain cousinage et, n'ayant pas demandé de dispense au pape, ils étaient pour cela frappés d'excommunication. Il fallut l'intercession du successeur d'Hellouin, l'illustre Lanfranc, pour que le pape levât la sanction, mais le prix de la pénitence était lourd, Guillaume et Mathilde devaient élever quatre hôpitaux et deux abbayes.

A cette époque, Guillaume avait déjà choisi pour cité ducale le petit port de Caen et la construction de son château y allait bon train, aussi décida-t-il de lui consacrer cette expiation de la plus belle manière, imité par la future reine Mathilde. Avec l'Abbaye-aux-Hommes et l'Abbaye-aux-Dames encadrant la forteresse, la ville prenait une autre dimension, encore amplifiée par les descendants du Conquérant. Depuis lors capitale de la Basse-Normandie, Caen manqua d'être anéantie par le lointain retour de l'Histoire que fut le Débarquement. Sa reconstruction a permis de mettre en valeur les principaux témoignages de son his-toire, caractérisés par un style bien particulier, et une pierre fameuse à laquelle le duc-roi était-si attaché qu'il la fit aussi employer pour la cathédrale de Canterbury, le palais de West-minster et la tour de Londres.

L'église Saint-Etienne de l'Abbaye-aux-Hommes fut commencée en 1063 et terminée quatorze ans plus tard, un délai remarquablement court qui explique son homogénéité. Le premier abbé en fut Lanfranc, futur archevêque de Canterbury, et la majestueuse façade doit son dépouillement aux origines lombardes de ce prélat. Au début du XIIIᵉ siècle, les tours carrées furent coiffées de discrets clochers gothiques et le chevet, refait dans ce nouveau style, premier du genre en Normandie : c'est un prodige d'harmonie et d'équilibre parfaitement intégré à l'ensemble grâce aux quatre tourelles carrées qui rappellent l'élan de la façade.

Les bâtiments conventuels des Bénédictins qui épaulent l'église ont été reconstruits en 1704 en même temps que ceux de l'Abbaye-aux-Dames et ne conservent de gothique que la salle des Gardes. D'une rigueur inspirée par l'austérité de la congrégation de Saint-Maur, cette longue façade s'accorde bien au chevet de l'église. C'est l'Hôtel de Ville de Caen qui occupe maintenant ces bâtiments.

Construite sous la houlette de Mathilde à qui Guillaume avait confié les destinées du duché pendant ses conquêtes, l'Abbaye-aux-Dames montre moins d'envolée que son homologue masculine, mais un décor plus abondant fondé sur une géométrie qui émigra dans toute la Normandie et en Angleterre. Le plan bénédictin a été adopté pour l'église de la Trinité, avec des absidioles et une abside en

Caen. L'église St-Etienne et l'Abbaye aux Hommes (1). Les tours des remparts (2). La façade de l'église St-Etienne (3) et le clocher de l'église St-Pierre (4).

1 △ 2 ▽

cul-de-four autour du chœur où repose la reine Mathilde.

La ville est très riche en sanctuaires, allant d'un roman jamais retouché comme à Saint-Nicolas, à la dentelle de béton de Saint-Julien reconstruite après la guerre, mais il faut accorder une mention spéciale à Saint-Pierre qui résume quatre siècles d'architecture d'un allègre foisonnement de pierre où les riches bourgeois caennais contemplaient le reflet de leur prospérité. Parmi les belles demeures de ces négociants, la palme revient sans conteste à l'hôtel d'Escoville, capital pour l'art Renaissance de la région et dont la cour montre bien comment les artistes de Caen ont su interpréter les influences italiennes selon leur propre sensibilité.

Face à Saint-Pierre et à cet hôtel, le château favori du Conquérant exhibe sa force depuis la reconstruction de la ville qui a dégagé la vaste enceinte d'origine, fortement remaniée au XVe siècle. Dispersées dans un jardin public à l'intérieur de celle-ci, plusieurs constructions méritent qu'on s'y attarde la chapelle Saint-Georges et la salle de l'Echiquier pour l'architecture, de même que le Logis des Gouverneurs, mainte-

3 △   4 ▽

nant Musée de Normandie ; un bâtiment moderne abrite en outre le riche Musée des Beaux-Arts. Leurs collections, de très grande qualité, illustrent le foyer culturel majeur que la capitale de Basse-Normandie a toujours constitué, rôle maintenu actuellement par une Université renommée.

Ville d'art aux rues piétonnes animées, malgré l'ampleur des reconstructions d'après 1944, Caen est aussi une cité originale qui fait pénétrer la campagne et la mer au cœur de ses murs : la Prairie entre l'Orne et l'Odon, est un immense espace vert en partie occupé par l'hippodrome rappelant que la ville est le vivant berceau des courses de trot. Pareillement, le bassin Saint-Pierre, ancien port devenu abri pour la plaisance, témoigne de la vocation marine de la ville, maintenant repoussée sur le canal de l'Orne, avec la sidérurgie, le trafic des céréales et du bois qui font l'essentiel de son activité.

Caen. Les murailles du château (1). Un aspect du quartier moderne (2). La maison des Quatrans (3). L'Université (4).

BAYEUX ET LA TAPISSERIE DE LA REINE MATHILDE

"Une tente très longue et étroite de telle à broderie de ymages et escripteaulx faisans représentation du conquest d'Angleterre", disait un inventaire de 1476. Bande dessinée, ne peut-on s'empêcher de penser en notre civilisation de l'image en découvrant la célèbre tapisserie de Bayeux, monumental ouvrage d'aiguille remontant aux lendemains de la victoire de Guillaume le Conquérant. Qu'une église de ce XIe siècle ait traversé les âges sans souffrir aucunement et l'on s'extasie sur le prodige, que dire alors de cette broderie de laine sur toile de lin bise, poursuivie soixante-dix mètres durant, encore parée de ses huit teintes éclatantes ou nuancées et parlant avec saveur de temps mal connus ? Il est bien naturel que la tradition se soit emparée de l'œuvre pour en faire le travail de Pénélope de la reine Mathilde attendant le retour de son guerrier d'époux, mais la réalité est plus prosaïque, même si elle touche de près le Conquérant. Il est probable en effet que cette fresque ait été brodée dans sun atelier de Canterbury à la demande d'Odon de Conteville, le demi-frère de Guillaume, qui était évêque de Bayeux et tout nouveau duc de Kent. Sous cet éclairage, la lecture de la tapisserie prend un autre sens : autant qu'une chronique glorifiant le vainqueur, c'est un conte moral montrant avec la mort d'Harold le Félon, le châtiment attaché au parjure et destiné à l'édification des fidèles de l'évêque. Par-delà cet aspect, la vision moderne peut aussi être un plaisir simple : l'histoire est racontée avec humour et poésie, les protagonistes sont bien identifiables – visage glabre et nuque rasée pour les Normands, cheveux longs et moustaches pour les Anglais – et chaque scène allie des qualités esthétiques certaines à une saisissante vérité. C'est pourquoi la tapisserie de Bayeux fait également les délices des historiens, document exceptionnel pour tout ce qui touche au costume, aux navires, à la cavalerie ou au quotidien du nouveau millénaire.

En 1077, la "telle du conquest" était achevée pour la dédicace de la cathédrale, construite sous l'égide du même Odon qui était à la fois homme d'église et remuant compagnon d'armes de Guillaume. Ce fut un grand moment de l'histoire normande, renouant avec les origines en présence de tous les dignitaires du duché et du royaume d'Outre-Manche ; Bayeux avait sa part dans la naissance de l'état normand puisque Rolf-le-Marcheur, après avoir pris la ville d'assaut en 911, épousait Popa, la fille du comte Béranger, le gouverneur vaincu et que de cette union naissait Guillaume Longue-Épée, aïeul du Conquérant. Après cet éclatant rappel en présence du duc-roi, une fois l'an et quatre siècles durant, la tapisserie fut tendue autour du chœur du sanctuaire, attirant les foules du fin-fonds de la pro-

vince. L'édifice, très travaillé et chapeauté au XIXe siècle d'un "bonnet" de cuivre ne ressemble que de loin à cette cathédrale du XIe siècle, ravagée par un incendie avant d'être recouverte d'un placage gothique.

La ville elle-même, vieille capitale du Bessin, a beaucoup de personnalité n'ayant connu ni l'industrialisation ni les combats de la Libération malgré la proximité des plages de débarquement. Elle garde un peu de l'ambiance feutrée de la cité de clercs, de bourgeois et

d'ecclésiastiques qu'elle était au siècle dernier, très proche encore du bocage qui cerne ses boulevards ainsi qu'en témoigne le pittoresque marché du samedi sur la place Saint-Patrice. Hormis les maisons anciennes des rues qui voisinent la cathédrale et le séminaire transformé pour accueillir la tapisserie fameuse, Bayeux possède deux intéressants musées : celui de la bataille de Normandie complète la présentation faite à Arromanches en détaillant les combats qui eurent lieu dans le bocage aussitôt

Le cœur de la cathédrale de Bayeux (1). Un ancien ex-voto : «Les Gloires de Marie» (2). La célèbre Tapisserie de la reine Mathilde (3).

après le débarquement et en faisant l'historique des destructions qu'ils entraînèrent. Pour sa part, le musée Baron-Gérard montre, à côté de collections diverses, d'intéressantes productions passées de l'artisanat local, dentelles et porcelaines essentiellement.

La brillante dynastie fondée par Rolf s'est toujours montrée généreuse pour le Bessin, en relevant tout d'abord les sanctuaires détruits par les Vikings. Ainsi, en 1032, Robert le Magnifique redonne sa splendeur passée à l'abbaye de Cerisy-la-Forêt, au cœur du terroir. Bien qu'elle ait perdu ses Bénédictins et quatre de ses travées, l'abbatiale est une des mieux conservées de Normandie ; vue du chevet, elle

Les châteaux de Balleroy (1) et Fontaine-Henry (2). La petite église, le château et les Jardins de Brécy (3 et 4).

1 △ 2 ▽

96

présente une puissance et une élévation qui en disent long sur le pouvoir des ducs.

Plus près de Bayeux, l'abbaye de Mondaye fut fondée en 1212 par les Prémontrés ; les bâtiments actuels, d'un classicisme sans défaut, abritent toujours des moines qui excellent dans la fabrication de fromages.

Le Bessin est moins riche en manoirs que le pays d'Auge mais il compte quelques châteaux remarquables dont Balleroy est le principal. Il est plus qu'un château puisque le village lui-même fut utilisé pour mettre en valeur ce chef-d'œuvre trônant au bout de l'unique rue, large comme une avenue. François Mansart pour l'architecture et son complice André Le Nôtre pour les parterres de broderies, c'est le meilleur du Grand Siècle dans les frondaisons normandes, parfois égayées des montgolfières multicolores qui s'y donnent rendez-vous.

Enfin, jouxtant la plaine de Caen, on ne peut manquer Creully et surtout Fontaine-Henry, le joyau de la Renaissance caennaise ; on suit l'évolution de ce style d'une façade à l'autre, sous l'immense toiture pointue qui double largement la hauteur du Grand Pavillon.

3 △ 4 ▽

DE L'ORNE À LA VIRE, LES PLAGES DU DEBARQUEMENT

Plus de quarante années sont passées sur le littoral du Calvados sans qu'il soit possible d'oublier la bataille dont il fut le cadre. Même si les plaies sont refermées de ce tournant de l'histoire du monde, les cicatrices demeurent, cimetières aux vertigineuses perspectives faites de milliers de croix blanches, plateaux défoncés par les cratères de bombes, casemates et bunkers, caissons ruinés du port artificiel d'Arromanches. C'est un curieux tourisme que l'on pratique sur les Côtes de Nacre et du Bessin, quittant un mémorial pour une grève familiale, un Langrune au nom purement Viking pour Sword Beach et autres codes du débarquement allié. Entre Merville et Courseulles, cependant, sur le rivage bas où vient mourir la campagne de Caen, les promoteurs de stations balnéaires ont tout fait pour que ces souvenirs s'estompent un peu alors qu'ils restent obsédants au long du bocage, des plages et des falaises du Bessin.

Sitôt passé Cabourg, la côte normande change d'appellation et de décor : la côte de Nacre ne possède pas d'autres amers que les clochers des villages et elle dissimule de traîtres hauts-fonds en avant d'une franche ligne de plages. Près d'Arromanches, un tel écueil fut fatal au "Salvador", l'un des vaisseaux de l'Invincible Armada et son nom déformé a été adopté pour le département du Calvados. Deux ports seulement s'ouvrent sur ce littoral au ras de l'eau, Ouistreham près de l'Orne et Courseulles sur la Seulles ; ailleurs, devant des maisons où le colombage a cédé la place à la belle pierre de Caen, les flots roulent un tapis d'algues dont la puissante odeur ponctue chaque marée basse.

L'embouchure de l'Orne marquait l'extrémité orientale de l'opération "Over-lord" du 6 juin 1944 et les premiers engagements eurent lieu dans cette zone clef où des commandos parachutistes anglais furent largués dès minuit. Il leur fallait prendre intacts les ponts de Ranville et Bénouville, devenus depuis "Pégasus Bridge" en l'honneur de l'emblème de la 6me division aéroportée, et ils eurent aussi la difficile tâche d'enlever la grosse batterie de Merville-Franceville. Les souvenirs de ces actions d'éclat parsèment les environs de l'estuaire ; musées, cimetières, monuments et vestiges guerriers, point tout à fait submergés dans le vaste ensemble balnéaire que forment maintenant Ouistreham et Riva-Bella additionnant ainsi les attraits d'un vaste port de plaisance à la sortie du canal de Caen, à celui de la plus belle plage de la région. De la même manière, les stations qui leur font suite cultivent moins cette histoire récente que leurs propres atouts, le château à Lion, les bains de varech chaud à Luc, les fruits de la mer à Langrune, un clocher démesuré à Bernières et partout le sable, le climat tonique et une plaisante ambiance de vacances.

Vues de Ouistreham (1) et Courseulles (2). Le port et les falaises de Port-en-Bessin (3 et 5). La «stèle» de la Pointe du Hoc (4).

1 △   2 ▽

3 △   4 ▽

1 △   2 ▽

3 ▽

4 ▽

A Courseulles, un char "Sherman" monte la garde à l'entrée d'un port qui fut vital pour les Alliés avant que ne soit achevé l'abri artificiel d'Arromanches : Winston Churchill, le général de Gaulle et le roi Georges VI y prirent pied à la mi-juin, au moment où toutes les troupes engagées dans la bataille de Normandie venaient de faire leur jonction. Ce vieux port de pêche, traditionnellement réputé pour la qualité des huîtres que l'on affine à proximité est devenu depuis une escale appréciée des plaisanciers. Ensuite, la côte s'élève, et ses rares échancrures furent autant de têtes de pont pour les soldats que la libération, mais elles ne permettaient pas d'acheminer les millions de tonnes de véhicules et de matériel nécessaires au succès du débarquement. D'où l'idée audacieuse des stratèges d'établir deux ports artificiels à haut rendement sur cette côte inhospitalière. Celui de Vierville fut aussitôt détruit par la tempête du 19 juin, mais Arromanches entrait dans l'Histoire grâce au "Mulberry", restant une des plus étonnantes prouesses du dernier conflit mondial. Soixante navires coulés pour constituer un premier brise-lame, puis cent-quarante-six monstrueux caissons de béton et seize kilomètres de routes flottantes en guise de jetées et de quais !

Les secteurs américains d'Omaha et de Utah Beach débutent peu après, et le passé se rapproche, poignant, gravé dans ce paysage austère. Le Mur de l'Atlantique et ses formidables

5 △   6 ▽

retranchements dominant une étroite grève nue. Une hécatombe de soldats et les commandos de Rangers réduits aux méthodes du Moyen Age pour gagner le plateau de la pointe du Hoc Grappins et échelles de cordes contre un déluge de fer et de feu. Là se déroulèrent les combats les plus meurtriers de cette bataille et la terre, ravagée par les explosions, fut encore creusée de milliers de tombes américaines et allemandes.

Une part du succès des Alliés est à attribuer à l'incrédulité que suscita leur débarquement sur des rivages aussi peu favorables et les Allemands pensèrent un temps qu'il pouvait s'agir d'une diversion. En effet, entre Courseulles et la Vire n'existait qu'un seul port minuscule pour faire communiquer le bocage du Bessin et la mer – Grandcamp n'était alors qu'un abri de pêcheurs et son port de plaisance est une extension récente. Dans le pays, on se contente de dire "Port" pour parler de Port-en-Bessin tellement ce bourg pittoresque est unique en son genre. Renforcé dans un creux des falaises, il jette au large des jetées courbes comme deux bras qui voudraient ramener une pêche miraculeuse jusque devant la cité.

A Arromanches, la plage du Débarquement (1). Vestiges, à Utah-Bach (2). Le cimetière de Colleville-sur-Mer (3 et 4). Ste-Mère-Eglise: le sanctuaire et une borne militaire romaine (5); une pièce de la ferme-musée du Cotentin (6).

1 △ 2 ▽

3 ▽

4 △ 5 ▽

LES BOCAGES DE SAINT-LO ET DE LA VIRE

Si les Rangers avaient remis à l'honneur des méthodes séculaires pour gravir les falaises du débarquement, les soldats de la Wehrmacht ne furent pas en reste dans le Bocage en adoptant la tactique de guérilla des Chouans pour immobiliser les blindés dans ce que l'on a appelé "la guerre des haies". Devant des troupes américaines désorientées par ce paysage inconnu d'elles, ces fantassins utilisèrent au mieux chaque parcelle, se dissimulant derrière les broussailles et laissant aux équipages des chars un choix difficile: ou bien ils s'empêtraient dans les chemins creux trop étroits, ou ils tentaient d'escalader les talus au risque d'exposer le défaut de leur blindage aux tireurs ennemis. L'artillerie lourde étant inefficace dans un tel environnement, il fallut des semaines aux G.I. pour "nettoyer" ce bocage, méthodiquement, verger après verger, haie

par haie, avant de gagner enfin, le 12 juillet, les hauteurs de Saint-Lô, préfecture de la Manche. Un nouveau combat s'engageait à ce moment malgré les terribles bombardements auxquels la ville avait été soumise depuis le débarquement. Le commandement allemand avait fait de ce carrefour routier un puissant point d'appui destiné à arrêter les Alliés : il tomba après une semaine, mais il en coûta une de plus et un pilonnage d'enfer pour que le front cède réellement dans ce secteur, livrant le Bocage aux blindés de Patton.

Après la guerre, Saint-Lô s'est rapidement relevée autour de l'Enclos, son noyau historique couvrant un éperon de schiste au-dessus de la rivière que Charlemagne fit ceinturer de remparts. Sur leur tracé, jalonné des tours de la Porte-au-Lait et des Beaux Regards, une agréable promenade ombragée permet de découvrir la cité reconstruite. Hormis l'église Notre-Dame et ses beaux vitraux, la ville pos-

sède un intéressant musée des Beaux-Arts.

Saint-Lô, fameuse pour ses haras comptant un grand nombre d'étalons de sang, est un des conservatoires des trotteurs et chevaux de selle français ; de spectaculaires présentations d'attelages y ont lieu chaque été après la grande semaine hippique de l'Ascension où plus de cinq cents chevaux participent aux concours.

Moins éprouvé par le conflit que sa capitale, le bocage saint-lois est riche d'attraits touristiques variés, s'ajoutant à des sites naturels pittoresques comme les falaises granitiques des rochers de Ham surplombant les méandres de la Vire. De belles demeures émaillent ces collines et les fermes elles-mêmes sont parées de la distinction de leurs pierres séculaires, tandis

Villedieu-les-Poêles : le centre du village (1), une fonderie de cloches (2), un atelier de dinanderie (3). La Vire, aux Roches de Ham (4). Isigny-sur-Mer (5).

que les châteaux jouent parfois les campagnards, tel l'Angotière, avec un grand pigeonnier et des communs couverts de chaume. Montfort, Castel, Cerisy-la-Salle et bien d'autres se nichent dans les plus beaux sites du Bocage, sans pouvoir rivaliser avec le renom du château de Torigni-sur-Vire, berceau du très fameux Robert de Torigni, abbé du Mont-Saint-Michel au XIIe siècle. L'édifice actuel date de la fin du règne d'Henri IV et il fut construit par François Gabriel pour les seigneurs de Matignon.

En Calvados, dans le haut de la vallée et dans un autre bocage, Vire occupe une position défensive au-dessus des "Vaux de Vire", un site évoqué dans les chansons à boire qui finirent par donner naissance au terme de vaudeville. Comme Saint-Lô, ce vieux point stratégique a été anéanti à la Libération mais ses principaux monuments, la tour de l'Horloge et l'église Notre-Dame, ont pu être restaurés dans

le beau granit un peu jaune qui caractérise cette région mâtinée de Bretagne. Ils se sont toutefois fait voler la vedette par l'andouille locale, aussi fameuse que l'est la tripe à Caen et le boudin noir à Mortagne.

Ces spécialités sont appréciées au-delà de nos frontières mais sans doute moins loin que celles d'une petite ville manchoise qui le sont chaque jour aux quatre coins du monde. On l'a deviné : il s'agit des cloches dont Villedieu-les-Poêles possède le secret d'airain depuis neuf siècles. Le fils du Conquérant avait donné cette terre aux Frères hospitaliers de Saint-Jean-de-Jérusalem et ce fut Villedieu, une des premières commanderies de l'ordre. Leur petite fonderie attira des artisans et de nombreux privilèges les incitèrent à se fixer en ces murs ; par la suite, jamais l'on a cessé de battre le cuivre et de fondre des cloches dans cette cité dont la dernière guerre n'a pas altéré le caractère très moyenâgeux.

rière leur duc, mais individuellement. Sous prétexte de lutter contre Byzance, ils fondèrent entre 1030 et 1130 les comtés d'Aversa et des Pouilles, les principautés de Capoue et d'Antioche, le royaume de Sicile enfin. A ce jeu excellèrent les fils de Tancrède de Hauteville, un baron des environs de Coutances : l'aîné, Guillaume, est un mercenaire qui se fait appeler "Bras de Fer" et qui, évinçant ses employeurs, s'empare des Pouilles. Venus lui prêter main-forte, Roger et Robert se partagent ensuite le sud de l'Italie et la Sicile qui connaissent, sous le règne des rois normands, l'une des périodes les plus prospères de leur histoire, symbolisée par de vastes cathédrales comme à Palerme et Céfalu. L'esprit viking disparaîtra tout à fait après cette période mais un sang neuf circulait un peu partout en Europe et avec lui l'ardeur constructrice de cette race.

L'intérieur de la péninsule est occupé par un bocage évoquant celui du Bessin bien que de vastes étendues de marais les séparent. Au carrefour de tous les horizons, Valognes est le marché séculaire de ce pays, le centre des activités liées au bois et au lait, en ayant malheureusement beaucoup perdu de son allure de capitale aristocratique qu'elle était avant les bombardements de 1944. Il en reste les évocations de Barbey d'Aurevilly, le chantre du Cotentin, qui lui-même ne connut pas les fastes de l'Ancien Régime finissant. Les cent familles nobles de la ville tenaient alors brillante cour dans autant d'hôtels particuliers, faisant de Valognes le "Versailles Normand". L'Hôtel de Beaumont, fleuron de ceux-ci, a été épargné. Ainsi que la demeure où résida le "Connétable des Lettres", l'hôtel de Granval-Caligny.

A partir de la baie des Veys – qui étaient les gués rattachant le Cotentin au Bessin– la côte est sablonneuse avec les dunes et les marécages en retrait que la 2me D B débarquée à Varreville eut bien du mal à franchir. Au large, première des îles normandes, les Saint-Marcouf ont été désertées par les hommes pour le bonheur des oiseaux de mer et les forts où ils nichent annoncent les eaux chargées d'Histoire qui bordent Saint-Vaast-la-Hougue. Portant un nom flamand donné par les Fécampois, ce pacifique port de pêche, réputé aussi pour ses huîtres, ses plages et ses mimosas, vit en effet plusieurs fois de grandes escadres devant ses murs. D'abord, le débarquement des Anglais qui marqua le début de la Guerre de Cent ans ; puis la malheureuse bataille de la Hougue de 1692 où les vaisseaux de Tourville qui se préparaient à envahir l'Angleterre furent détruits par la flotte des Anglo-Hollandais.

Le port le plus ancien de cette partie du Cotentin est Barfleur, à proximité de l'un des deux raz de la péninsule à juste titre redoutés. Cet abri bien situé devint très tôt tête de pont de la province vers l'Angleterre, position funeste lors des conflits successifs qui opposèrent ce pays à la France. Barfleur ne retrouva

LE COTENTIN DES DERNIERS VIKINGS

Péninsule normande, le Cotentin présente bien des analogies avec la Bretagne, son climat maritime, ses paysans qui récoltèrent le goëmon, une multitude de petits ports et une terre souvent faite de rochers. Mais le Cotentin n'est en rien celtique, bien au contraire,

c'est le plus scandinave des pays normands – le seul peuplé de Norvégiens en plus des Danois habituels – et chaque village ou presque en porte témoignage par son nom. Comme si cette proue du continent, bravant les flots et les vents du large, les avait inspirés, les Normands du Cotentin repartirent plus loin, non pas seulement vers l'Angleterre der-

L'Hôtel de Beaumont, à Valognes (1). Le port de St-Vaast-la-Hougue (2). Le phare de la Pointe de Saire (3).

2 △   3 ▽

jamais sa splendeur du Moyen Age, malgré un regain de la pêche après la Révolution, et la ville s'est endormie sur ce passé. Dans le cadre pittoresque des vieilles maisons de granit, coiffées de schiste, et autour du clocher carré de l'église à fleur d'eau, c'est une somnolence que goûtent les plaisanciers et les estivants. Les violents courants qui alternent en tourbillonnant devant le raz de Barfleur ont rendu nécessaire la création au XIXᵉ siècle d'une station de sauvetage dont le palmarès est éloquent ainsi que d'un des plus hauts phares de France d'où le panorama sur cette côte est impressionnant. De son sommet, l'analogie avec la Bretagne s'impose, ce ne sont que récifs frangés d'écume, arbres couchés par le vent et côte en corniche. Dans ces parages, se perdit la "Blanche Nef" portant le fils de Guillaume le Conquérant qui disparut sans descendance, sa fille et trois cents des plus hauts dignitaires de la noblesse anglo-normande.

Par contraste, le Val de Saire qui fait l'arrière-pays de ce littoral paraît plus normand que nature. "C'est un pays gras et plantureux en toutes choses", notait déjà Froissart en 1346, et rien ne vient démentir aujourd'hui ce jugement. Pas plus que la côte, les hameaux du Val ne connaissent les méfaits d'une architecture vacancière anarchique et ce bocage à l'écart du monde a pu garder intacts ses fermes, ses manoirs, ses moulins et ses églises.

Deux aspects de Barfleur (1 et 2). Le village de Gatteville (3).

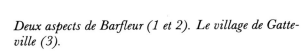

107

1 △   2 ▽

La nécessité de faire de Cherbourg une base navale importante fut de tout temps admise, encore fallait-il la protéger du large et c'était une œuvre titanesque, revenant à créer une rade artificielle entre Querqueville et Bretteville que huit kilomètres séparaient. Suivant les plans du capitaine de vaisseau de La Bretonnière, les premiers caissons de bois lestés de pierres furent immergés au milieu de la baie en présence de Louis XVI. A terre, la construction des forts de Querqueville, du Homet et de l'île Pelée marchèrent bon train mais les travaux de la digue étaient désespérants tant les coups de vent et les courants se conjuguaient pour détruire l'ouvrage. Les ingénieurs ne trouvèrent pas d'autre solution que l'acharnement et trois-quarts de siècle s'étaient écoulés quand la grande digue reçut sa première pierre. Napoléon Ier avait eu le temps de faire creuser les bassins du port militaire, achevés par Napoléon III ; en 1830, était ouvert le bassin de commerce et les grands paquebots transatlantiques commençaient alors à relacher à Cherbourg qui se dota d'une gare maritime. On avait vu suffisamment grand dans la conception de ce port pour qu'en 1944, après dégagement et déminage, Cherbourg suffit à

assurer le ravitaillement de toutes les armées alliées en matériel.

Les temps de paix n'ont pas détourné la ville de ses nouvelles fonctions, les activités de l'arsenal suppléant à la faiblesse économique de l'arrière-pays ; les bassins montrent une activité de ruche avec les liaisons trans-Manche, le trafic des containers, les yachts et les chalutiers, tandis que dans le port militaire,

Le port de pêche (1) et une place (2) de Cherbourg. Port-Racine : c'est le plus petit port de France (3). Paysage au Cap de La Hague (4). Les rochers du Nez-de-Jobourg (5).

l'arsenal se consacre à la construction de sub-mersibles nucléaires et de petites unités spécia-lisées, telles les vedettes rapides. Sur un escarpe-ment qui domine la ville, le fort du Roule est un belvédère parfait pour embrasser d'un regard le dédale des bassins qui constituent le port autour de la petite rade, elle-même proté-gée par la digue du large. Ce fort qui fut le noyau de la résistance des Allemands montre aussi un musée de la Guerre et de la Libéra-tion. En ville, il faut voir le musée des Beaux-Arts dont la galerie de peinture bien fournie comprend notamment une trentaine de toiles de Jean-François Millet, l'enfant du pays, ainsi que le musée des Sciences naturelles jouxtant le très agréable parc Emmanuel-Liais prouvant par ses essences tropicales l'action bienfaisante du Gulf-Stream. A noter encore, l'abbaye du Vœu, en cours de restauration, la basilique flamboyante de la Trinité, face à la place Napoléon où une statue de l'empereur rap-pelle que ses cendres furent ramenées de Sain-te-Hélène à Cherbourg, par la "Belle Poule".

Vers la Hague, siège au raz Blanchard des courants les plus rapides des côtes françaises, la côte va crescendo dans la sauvagerie jus-qu'au point d'orgue du Nez de Jobourg, homo-logue normand de la Pointe du Raz. Peu d'endroits en Normandie ont inspiré autant de

3 △   4 ▽

5 ▽

légendes terrifiantes parfois basées sur un fond de vérité, car ce pays fut celui des naufra-geurs et des contrebandiers.

Avec Saint-Germain, Querqueville possède une charmante église pré-romane. Dans les agréables paysages qui entourent Urville, se tiennent deux beaux manoirs du XVIᵉ siècle, Dur-Ecu et Nacqueville, puis la route mène à Gréville, patrie de Millet. Les villages gagnent en intimité comme Omonville-la-Rogue, aussi rustique et accueillante que sa voisine Omon-ville-la-Petite, et c'est ainsi que Port-Racine s'enorgueillit du titre de plus petit port de France...

109

1 △   2 ▽

Après le finistère normand de la Hague, de belles fenêtres s'ouvrent dans la façade occidentale du Cotentin, annonçant le littoral très particulier qui s'étentd de Carteret à Granville. Les premières baies, encore empreintes de l'austérité du grand cap, sont la grève solitaire d'Ecalgrain bordée de landes à bruyères, puis l'anse de Vauville qui s'épanouit généreusement jusqu'aux falaises de Flamanville. Au long de cet arc parfait, un cordon de dunes enferme un chapelet de mares et le village n'a pu s'établir qu'en retrait du rivage, au pied d'un escarpement. Cette disposition se généralise au sud avec la côte des hâvres et des "mielles" où les courants de marée et la houle véhiculent du sable qui se dépose entre chaque avancée rocheuse ; ce remblaiement est fatal aux falaises qui s'émoussent et se couvrent de végétation en arrière de la zone humide des mielles qui étaient à l'origine des lagunes retenues par les dunes. La bande littorale ainsi formée est souvent consacrée aux cultures maraîchères car le Gulf Stream a ici également une influence adoucissante. Quand une rivière est assez importante pour déboucher sur la mer, elle crée un estuaire vaste et peu profond que les marées emplissent et vident tour à tour, un

"hâvre" où parfois les bateaux trouvent à s'abriter. Blottis au bas de la falaise morte, les villages où l'on pratique plus l'agriculture que la pêche, sont reliés au rivage par des chemins "tangours" tracés jadis pour les attelages ramenant le sable vaseux fertilisateur. Le tourisme commence à trouver son compte dans ces paysages longtemps oubliés et les protecteurs de la nature s'emploient à le canaliser, éternelle contradiction.

Il existe cependant quelques stations appréciées de longue date, dont Barneville-Carteret, traditionnel port continental pour les îles anglo-normandes, qui se distinguent au couchant par delà le passage de la Déroute. Autour d'un magnifique promontoire rocheux, les plages de Carteret et de Barneville sont

L'abbaye Notre-Dame-de-Grâce, à Briquebec (1). Le port de Carteret (2). Le château de St-Sauveur-le-Vicomte (3). L'église fortifiée de Portbail (4). Le manoir de St-Martin-le-Mébort (5).

4 △ 5 ▽

parmi les plus agréables de la péninsule et l'ensablement qui a fait perdre de son importance au port, se révèle maintenant un atout précieux. Barbey d'Aurevilly, originaire de la bourgade voisine de Saint-Sauveur-le-Vicomte qu'il disait "jolie comme un village d'Ecosse", aima aussi Carteret où il avait un manoir pour oublier un temps sa plume si souvent semblable à une épée. La plage de Barneville se prolonge jusqu'à celle de Portbail qui tire aussi parti de son hâvre pour la plaisance. Coutainville enfin, dans un océan de dunes est une station balnéaire de création récente.

Coutances est en effet une pure émanation du bocage et la ville n'entretenait aucune relation avec le littoral. Son rôle est aussi épiscopal et nul ne peut l'ignorer en découvrant la cathédrale Notre-Dame qui culmine au centre des toits d'ardoises. C'est une œuvre originale du XIIIe siècle qui habille d'étonnante façon le sanctuaire élevé deux cents ans auparavant grâce aux libéralités des fils de Tancrède de Hauteville, en pleine aventure méditerranéenne. Tout ce que l'ossature romane pouvait avoir de massif est occulté par le jaillissement vertical des "fillettes" de la façade, des flèches

en écailles et du plomb, l'audacieuse tour-lanterne. Dans la nef, une multitude de nervures, d'adroites combinaisons de voûtes et l'abaissement du sol donnent à la cathédrale l'élévation du premier gothique normand dont Notre-Dame de Coutances est un témoin exemplaire, à l'égal du chœur de Saint-Etienne de Caen et de la Merveille du Mont-Saint-Michel.

La vitalité du mouvement monastique au Moyen Age donna en outre plusieurs magnifiques abbayes à cette partie du Cotentin. La Lucerne montre les ruines d'une abbatiale des Prémontrés, d'architecture aussi sobre que celle des Cisterciens ; contemporaine, l'abbaye d'Hambye a encore une présence imposante dans le vallon de la Sienne où elle dresse une tour-lanterne romane flanquée d'un chœur gothique. La plus intéressante de toutes est

Un intérieur rural du Coutançais (1). Détail de portes d'une armoire de mariage (2). L'ancien hôtel Poupinel à Coutances, transformé en musée (3). La cathédrale et les voûtes de la nef (4 et 5).

3 △ 4 ▽

1 △ 2 ▽

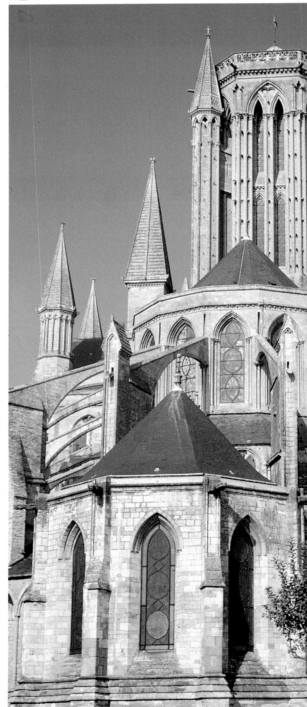

sans conteste l'abbatiale de Lessay, restaurée à la perfection : certains spécialistes pensent que sa nef est le premier exemple dans l'histoire de l'usage de la croisée d'ogive. Depuis l'époque de cette innovation, le bourg est célèbre par la "Grande Sainte Croix", une foire aux chevaux où l'on venait d'aussi loin que Nijni-Novgorod! Les chalands ne sont plus étrangers mais après le négoce, on fait toujours ripaille de la même façon avec le gigot de pré-salé arrosé du meilleur cidre bouché.

Une liesse aussi généreuse préside au fameux carnaval de Granville hérité du temps où les terre-neuvas dépensaient en quelques jours leur avance sur campagne. Cette ultime cité côtière du Cotentin a vraiment célébré avec la mer les épousailles les plus accomplies que l'on puisse rêver. Comme port, il ne lui manque rien et Granville pratique le commerce, la pêche, la plaisance, la course au large et même, avec les îles Chausey, la croisière vers un archipel magique. Comme ville de vacances, elle est bien pourvue après avoir eu son lot de célébrités du XIXᵉ siècle et ses "trains de plaisir" : une digue-promenade, la plage et les rochers, le Casino, le jardin public Christian Dior, l'aquarium et un important centre de thalassothérapie. Enfin, pour l'Histoire et les vieilles pierres, il y a pléthore dans la Haute-Ville où se bousculent les chevaliers du Mont-Saint-Michel, les armateurs richissimes, les corsaires, les terre-neuvas et les chouans de la Rochejacquelin.

Ruines de l'église abbatiale de Hambye (1). Un aspect des îles Chausey (2). Le port de Granville (3).

1 △   2 ▽

AVRANCHES, LE MONT-SAINT-MICHEL

A la croisée de la Bretagne et de la Normandie, le mont Saint-Michel et Avranches ont longtemps eu leurs destins liés. Saint Auber, qui resta incrédule devant les apparitions de l'archange saint Michel, avant de se décider à lui dédier une chapelle sur le mont Tombe, n'était-il pas évêque d'Avranches ? Et son "chef", conservé au trésor de la basilique Saint-Gervais, porte l'empreinte du doigt que l'archange, impatienté, lui pointa sur le crâne. Par la suite, l'affluence des pèlerins vers le Mont profita en premier lieu à Avranches dont le rôle religieux devint considérable.

Ce lointain rocher aux abords balayés par les plus fortes marées du continent ne pouvait qu'appeler au recueillement et l'épopée commence probablement vers l'an 500, quand deux anachorètes s'y retirent pour une vie monacale. Deux siècles plus tard, saint Auber consacre le lieu à l'archange saint Michel et douze chanoines assurent le service de Dieu. Les pèlerinages débutent, gueux et rois dont Childéric III fut le premier, et le Mont-Saint-Michel devenu également le refuge des temps troublés doit être fortifié. Le spirituel en souffre car les chanoines délaissent la règle et à l'aube de l'an mil, le duc Richard sans Peur

grandissante impose une vaste église que les Bénédictins peuvent construire avec les dons du duc suivant, Richard le Bon. Comme le sommet du rocher n'offre plus de place, les moines bâtisseurs font reposer leur long vaisseau roman sur trois cryptes accrochées à la paroi, Saint-Martin, Notre-Dame-des-Trente-Cierges et les Gros-Piliers, sous le chœur. L'énergie de ces Normands laisse rêver quand on sait que les pierres venaient des îles Chausey et que les travaux furent achevés en moins d'un demi-siècle.

Quand la Normandie devient française, Philippe-Auguste s'emploie à racheter les destructions de ses alliés bretons qui sont parvenus à s'emparer du Mont : c'est l'édification de la "Merveille", l'un des chefs-d'œuvre du Moyen-Age, s'élevant d'un jet au-dessus des jardins du versant nord. Trois étages de salles gothiques dans lesquels les artistes normands ont fait preuve d'un raffinement jamais égalé.

La guerre de Cent Ans coupe l'élan mystique du rocher qui voit Du Guesclin prendre la tête de sa garnison : les constructions nouvelles, pour guerrières, n'en sont pas moins intéressantes. La paix ramène ensuite la prospérité et l'effondrement du Chœur de l'abbatiale donne à l'art gothique l'occasion d'envoyer un bouquet final dans le ciel de la baie. Avec un

2 △ 3 ▽
1
◁

doit les remplacer par trente Bénédictins venus d'horizons aussi fameux que Saint-Wandrille, Evreux ou Jumièges. L'ère des bâtisseurs normands s'ouvre alors.

Le sanctuaire initial est un édifice préroman dégagé au début de notre siècle et appelé Notre-Dame-Sous-Terre. L'influence

jaillissement d'arcs-boutants, ce chœur de 1518 est le chant du cygne d'un Moyen Age tout entier contenu dans l'"Acropole des brouillards".

Le donjon d'Avranches (1). L'embouchuree du Couesnon et le Mont-St-Michel (2). Les marais voisins (3). En pages suivantes : les fameux prés-salés.

1 △   2 ▽

3 ▽

LES BOCAGES

Parler du Bocage est une façon commode pour évoquer le sud-ouest de la Normandie, mais sur place, rien n'est simple et le Bocage tout court n'existe pas, il est Virois ou Saint-Lois quand on ne se réclame pas de l'Avranchin ou du Passais. Le Bocage, ce sont des prés ou des vergers, apprend-on à l'école, et l'image se vérifie au premier coup d'œil ; pourtant rien de plus divers que ces paysages. Ils couvrent aussi bien les marais que des hauteurs gréseuses évoquant la Bretagne, les parcelles ont toutes les tailles possibles et les hommes sont aussi variés que les formes d'exploitation qu'ils utilisent, de la forêt au labour.

Aux confins de la province, l'Avranchin est ainsi un terroir où les labours ont toujours eu de l'importance malgré un élevage réputé de chevaux de course et d'agneaux de pré-salé. Deux rivières le traversent, la Sée, qu'Avranches a dédaignée au profit d'un éperon voisin, et la Sélune, transformée en un long plan d'eau par les barrages de la Roche-qui-Boit et de Vezins. Au-delà, c'est le Couesnon, petite rivière au grand nom qui fait la frontière de la Bretagne et où veille Pontorson, dont l'église aurait été fondée par Guillaume le Conquérant réchappé des sables mouvants de l'estuaire.

Ville frontière sur la Cance, Mortain l'est plus encore, séparant la Bretagne du Maine et

4 △   5 ▽

de la Normandie. Un tel point stratégique sur l'affluent encaissé de la Sélune fut utilisé de longue date mais la ville ne prit vraiment son essor qu'avec la place-forte installée par Guillaume-Longue-Epée ; ce comté précieux pour la province, resta entre les mains de la famille et avec Robert, le demi-frère du Conquérant, Mortain connut une brillante vie de cour. Malgré la terrible bataille d'août 1944 où Patton brisa la contre-offensive des "Panzer" allemands, la ville a pu conserver ses monuments, fondés à l'époque bénie du comte Robert de Mortain. Saint-Evroult est une église gothique à laquelle le grès sombre confère une apparence austère.

Dernier jalon de la frontière bocagère, Domfront n'est plus que la capitale du petit pays du Passais après avoir été la "capitale de cœur" d'Aliénor d'Aquitaine et d'Henri II Plantagenêt. Assurément, ce nid d'aigle, dominant de 70 mètres les gorges de la Varenne est unique dans la province et le colossal donjon qui complétait une double enceinte aux deux douzaines de tours en faisait un décor digne de la fougueuse souveraine. Cette brillante période est lointaine : du donjon qui était l'un des plus

Vue aérienne d'un paysage de l'Orne (1). Aux environs de Mortain, la Grande Cascade (2). Les ruines du donjon de Domfront (3). Un aspect du Perche normand (4). Dolmen aux confins du Parc Régional (5).

forts de France ne reste qu'un angle de murs dans le jardin public, et de l'enceinte, sept tours enclavées dans les vieilles demeures. Domfront a partagé le destin de Mortain à la Libération, mais la moderne église Saint-Julien remonte à l'entre-deux-guerres ; la ville possède cependant l'un des plus intéressants édifices romans de la région avec Notre-Dame-sur-L'Eau, une chapelle de granit à tour carrée dont la sérénité a peut-être inspiré Chrétien de Troyes pour un épisode de "Lancelot du Lac" ; on dit aussi que Thomas Beckett y célébra une messe de Noël en 1166. Due comme elle à Guillaume de Bellême qui rachetait ainsi sa férocité, l'abbaye voisine de Lonlay garde une église composite de granit et de grès violacé du pays.

A mi-chemin de la Suisse-Normande et de la forêt des Andaines, Flers-de-l'Orne est une ville dynamique dont l'environnement est très séduisant à l'image de son château Renaissance bordé d'un agréable parc et d'un étang qui est une invite au canotage. Le musée du Bocage qui s'y trouve se partage entre la peinture et l'évocation des traditions régionales, en faisant une place particulière aux activités textiles qui furent longtemps l'apanage de Flers. La région connut récemment une brève exploitation de minerai de fer et les ferronniers de Tinchebray et Chanu sont les héritiers de cette époque.

Le manoir de La Saucerie à la Haute-Chapelle : détail et porterie (1 et 3). Une région chevaline... (2).

1 △ 2 ▽

LA SUISSE NORMANDE ET FALAISE

Côte d'Albâtre, côte Fleurie ou Alpes Mancelles, l'ambition des noms touristiques prête
parfois à sourire et masque souvent l'origina-
lité de petites régions à nulle autre pareilles.
La Suisse Normande est de celles-ci avec un
relief tranché à la gouge par l'Orne, ses
affluents le Rouvre et le Noireau, et une
kyrielle de ruisseaux qui dévalent, éclabous-
sent ou chuchotent dans le moindre recoin.
Les montagnes ne sont que collines et les pré-
cipices ont la profondeur de simples ravins
mais cette omniprésence de l'eau fait de la
Suisse Normande une oasis de calme et de fraî-
cheur entourant les sites inattendus du cours
de l'Orne. Quittant les plaines d'Argentan,
cette rivière s'encaisse en effet dans les collines
de Normandie qui lui doivent dans cette

région leur relief en creux caractéristique :
après une série de défilés dans le granit marqués par le fameux escarpement de la roche
d'Oëtre, l'Orne développe de larges méandres
et à nouveau s'enfonce dans les hauteurs gréseuses près de Clécy avant de trouver la plaine
de Caen. La vallée est aussi la promenade pri-
vilégiée des habitants de la métropole, d'autant
qu'aux charmes de la nature, elle ajoute celui
des châteaux, des moulins et des auberges.

Le périple débute avec Thury-Harcourt dont
la grandeur d'antan se limite aux pavillons
d'entrée et à l'immense parc de ce que fut le
château des ducs d'Harcourt ; le plus beau
méandre de l'Orne, le Hom, se trouve aux portes de la cité, puis la vallée mène à Clécy, un
bourg pittoresque rassemblant les attraits de la
Suisse Normande. Les sportifs connaissent
bien ses environs qui se prêtent au canoë, à
l'escalade et au deltaplane, les promeneurs
parcourent les crêtes à pied ou à cheval et les
pêcheurs en ramènent truites et brochets. A
Pont d'Ouilly, sur le confluent du Noireau,
beaucoup quittent l'Orne pour consacrer du
temps à cette vallée ponctuée de moulins et de
chapelles comme Saint-Roch, but d'un pardon
à la mode de Bretagne. A Pont-Erambourg, le
choix s'offre entre le château Louis XIII de
Saint-Sauveur et, au-delà de Condé-sur-Noi-
reau, celui de Pontécoulant, associé à un intéressant musée départemental.

De retour sur l'Orne, un nouveau confluent
avec le Rouvre montre des sites naturels d'une
âpreté inattendue autour du méandre du Rou-
vron et de la roche d'Oëtre : ce sont là les
seuls lieux quelque peu montagnards de la
province. Plus haut, la route s'écarte de la
rivière dont les gorges de Saint-Aubert ne peuvent s'atteindre que par d'étroits sentiers tel
celui qui aboutit aux ruines romantiques du
Pont du Diable et du moulin de la Jalousie.
Non loin, Rabodanges fait découvrir un nouveau visage de l'Orne, assagie par un barrage
dont la retenue est appelée à un beau succès
touristique. Châteaux et manoirs sont légion
encore : on retiendra celui du Repas qui doit

son nom, dit la légende, à un fabuleux ban-
quet donné par Pantagruel à l'abri de ses murs
de granit, tout près du menhir où la tradition a
vu l'"Affutoir de Gargantua". Au terme de
cette "Helvétie" qui évoque donc depuis longtemps un pays en miniature, la coquette cité
de Putanges-Pont-Ecrepin permet de gagner
Falaise où l'Histoire vaut la plus belle des
légendes.

Le comte Robert qui allait devenir duc sous
le nom du Magnifique, résidait volontiers au
château de Falaise car les alentours étaient
giboyeux. En ce temps là, il était encore "le
Diable" et se consacrait aux chevaux et aux
femmes, ses deux passions, avec la même bru-

*Le donjon de Falaise (1). Paysages de la «Suisse Nor-
mande» (2 et 3).*

124

talité dominatrice. Jusqu'au jour où il aperçut Arlette. "Dans le gravier", nous rapporte le chroniqueur, "sur le ruissel d'un fontenil", elle foulait joyeusement du linge en compagnie d'oiselles pareillement dévêtues, car il faisait chaud. Follement épris, le soudard devenu timide, la guette chaque jour depuis les fenêtres de son château et finit par s'en ouvrir à Fulbert, le père de la belle, maître-tanneur de Falaise. Ne sachant que faire d'une telle demande car la coutume viking encore en usage voulait que Robert ait tous les droits ou presque en ce domaine, Fulbert consulta Arlette. Et celle-ci, qui n'avait jamais tant été laver à la fontaine, exigea alors d'être conduite

auprès de l'élu de son cœur, à cheval et par la grande porte, vêtue de ses plus beaux atours. "Et quand vint le temps que Nature requiert, Arlette eut un fils nommé Guillaume". Fier comme sa mère, le bâtard devint aussi vaillant que son père pour faire de ce sobriquet un nom respecté, qu'il n'abandonna qu'à regret pour celui de "Conquérant".

Fidèle à sa ville natale, Guillaume l'embellit et en favorisa l'activité en fondant notamment la foire aux chevaux de Guibray qui fut l'une des plus importantes de France avant de disparaître au siècle dernier. Elle aussi entrée par la grande porte dans l'histoire de la province, la ville de Falaise, riche de siècles de négoce et

d'artisanat, faillit bien disparaître en martyre en août 1944. Toutes les armées alliées convergeant vers elle pour tenter d'encercler les troupes allemandes, laissent à la fin de l'opération une ville aussi sinistrée que celle de Caen. Les restaurations ont sauvé les trois églises de la Trinité, de Saint-Gervais et de Notre-Dame-de-Guibray, tandis qu'au-dessus du Val d'Ante s'élèvent les rigides murailles romanes du château, dont l'enceinte aux quatorze tours émerge à peine des frondaisons. Plutôt que de se laisser abuser par l'anachronique "chambre d'Arlette" que montre la visite, il est permis de descendre près du ruisseau pour écouter chanter la fontaine des amoureux.

1 △ 2 ▽

BAGNOLES-DE-L'ORNE ET LA FORET DES ANDAINES

Le massif armoricain qui n'en finit pas de s'étaler sur les marges de la Basse-Normandie vient faire mourir une dernière vague de granit et de grès autour de Bagnoles-de-l'Orne. Des lambeaux de la forêt celtique couvrent encore ses crêtes et nombreux sont les historiens à se demander si les Chevaliers de le Table Ronde n'auraient pas élu domicile dans la forêt des Andaines plutôt qu'en Bretagne, autour de Paimpont. A Bagnoles-de-l'Orne, la réponse ne fait aucun doute et le "Festival Lancelot du Lac" qui anime la station chaque été s'honore de la prestigieuse caution de Georges Cziffra. Cette manifestation témoigne du renouveau d'une ville dont l'ambiance se démarque de plus en plus de son architecture début de siècle : en compagnie de sa jumelle Tessé-la-Madeleine, elle s'efforce d'être attractive même en dehors de la saison thermale avec d'importantes installations sportives et récréatives. Il est vrai que son cadre seul fait de la ville d'eaux un séjour privilégié : enchassée entre des forêts de sapins trouées de spectaculaires rochers, au bord de la Vée qui se gonfle en un petit lac, Bagnoles-de-l'Orne se trouve au cœur du Parc Naturel Régional de Normandie-Maine.

Les vertus curatives des eaux de Bagnoles sont connues de longue date, comme le suggère le nom de la ville, mais leur usage resta longtemps aussi confidentiel que la naïve légende expliquant leur découverte. Hugues, seigneur de Tessé avait abandonné son vieux cheval dans la forêt des Andaines car il ne voulait pas le voir mourir. Quelle ne fut pas sa surprise en le voyant revenir tout fringant, un mois plus tard ! Ayant suivi l'animal, il découvrit qu'il se baignait dans une source tiède et faisant de même, le maître retrouva la vigueur de sa jeunesse. On dit que le seigneur de Bonvouloir utilisa aussi cette Jouvence pour pouvoir s'assurer une descendance, ce qui ferait de l'étonnante tour de son château voisin un ex-voto hautement symbolique. Au-dessus de l'établissement thermal, deux aiguilles rocheuses appelées le "Saut du Capucin" garderaient quant à elles le souvenir de ce bon moine si bien remis en forme qu'il aurait bondi de l'un à l'autre. Là où la sagessse populaire trouvait de savoureuses explications, nos scientifiques mesurent une température de 25°8 – c'est la seule source chaude de tout l'ouest de la France – et parlent de faible minéralisation ou d'éléments radio-actifs à courte période, ce que l'on ignorait encore aux débuts de l'établissement thermal actuel. Ses bâtiments s'adossent à un parc montueux où les sapins sont parsemés de chênes et de châtaigniers. Sur l'autre rive, le parc de Tessé-la-Madeleine, pareillement escarpé, comprend aussi des séquoias ; commandant à ces massifs forestiers, le château néo-Renaissance de la Madeleine, mainte-

Le «Roc au Chien», à Bagnoles-de-l'Orne (1 et 2). Deux vues du château de Carrouges (3 et 4). La tour de Bonvouloir, à Bagnoles (5).

nant Hôtel de Ville, met la touche finale à un décor délicieusement suranné.

Les forêts qui encadrent Bagnoles-de-l'Orne ont été exploitées à partir du XVIIᵉ siècle pour alimenter les fours des verriers, les forges et de petites mines de fer alentours, tandis que l'aristocratie y pratiquait la grande chasse ; le dernier loup a été tué lors des débuts de l'établissement thermal mais restent les sangliers, les cerfs et les chevreuils encore chassés en grand équipage car la tradition équestre est vivace dans le pays. Plusieurs châteaux ont été élevés dans ce voisinage apprécié, comme Couterne, une sobre demeure de brique rose, bâtie en 1542 par Jean de Frotté, chancelier de Marguerite de Navarre, avant d'être agrandie au XVIIIᵉ siècle et pourvue de curieux toits en cloche. Plus loin, le château de Lassay, dominant le bourg de ses poivrières est un modèle de l'architecture militaire du XVᵉ siècle avec barbacane, pont-levis, châtelet et hautes courtines dans la meilleure tradition.

A l'opposé de la forêt des Andaines, l'industrieuse petite cité de la Ferté-Macé a perdu son château mais les spécialités locales de tripes en brochettes ou au calvados méritent qu'on s'y attarde. Près de la forêt d'Ecouves, le château de Carrouges est une des places les plus impressionnantes de Basse-Normandie. Pourtant ce n'est pas la forteresse que suggèrent ses douves et les tours d'angle car les murailles de briques aux chaînages de granit ne résisteraient pas longtemps à l'artillerie. Le nom de cette demeure de plaisance vient, dit-on, de Karl-le-Rouge à la suite d'une sanglante histoire d'adultère qui aurait eu pour théâtre la place-forte primitive, au sommet de la colline portant le village.

3 △ 4 ▽

5 ▷

ALENÇON, CITE DES MARGUERITES

Près d'un gué de la Sarthe, la vieille cité gallo-romaine d'Alençon serait restée une bourgade sans gloire si elle n'avait été aussi au centre d'une riche campagne, comme Falaise ou Argentan.

C'est pour éviter de voir les finances de la nation souffrir du succès des dentelles de Venise que Colbert confie aux Alençonnaises, réputées en la matière, le soin d'imiter ce point recherché. L'une d'elles venait d'inventer un autre point plus élégant et plus délicat qui obtient rapidement la faveur des aristocrates : les manufactures de Colbert rendent alors fameuses dans toutes les cours d'Europe les dentelles d'Alençon qui survivent même à la mécanisation des siècles suivants. L'Atelier Conservatoire du Point d'Alençon forme toujours des dentellières mais ne garde plus le secret aussi jalousement que jadis où chaque ouvrière n'avait connaissance que d'une petite partie de la confection du "point"! Contemporain de la naissance de cet art, l'ancien collège des Jésuites abrite le musée des Beaux-Arts et de la Dentelle qui conte les péripéties de cette épopée.

Les ultimes ressauts du massif armoricain qui donnent leur tempérament à la Bretagne et au Cotentin, encadrent la campagne d'Alençon, portant à l'est la forêt de Perseigne et à l'opposé celle d'Ecouves que borde le signal des Avaloirs, point culminant de toute cette partie de la France. Formés de roches dures, bousculés par la tectonique, ces reliefs aux sommets modestes malgré tout, montrent une surprenante vigueur que la végétation clairsemée des Alpes Mancelles met bien en valeur. En quittant Alençon, la Sarthe creuse sa vallée et on la surprend à bondir entre les blocs de

grès de ces montagnettes aux doux villages, Saint-Pierre-des-Nids, Saint-Julien-des-Eglantiers ou Saint-Léonard-des-Bois. Ce dernier se révèle le plus "alpestre", serti dans les escarpements rocheux du Grand Fourché. En amont, Saint-Ceneri-le-Gérei est un lieu béni que les peintres, en particulier Corot, ont chéri depuis longtemps : l'église romane au toit en batière est campée à l'extrémité d'un promontoire touffu, dominant le vieux pont sur la Sarthe et l'oratoire gothique du premier ermite à avoir succombé au charme des lieux. Là commence la montée vers le Mont des Avaloirs, titre pompeux pour un plateau couvert de bruyères et de petits sapins, mais justifié quant au panorama : du belvédère métallique se révèlent en effet les collines du Perche par-delà la campagne d'Alençon, le signal d'Ecouves culminant à la même côte de 417 mètres et les Alpes Mancelles dans leur ensemble.

Alençon. La préfecture (1), le porche de la cathédrale (2), d'anciennes maisons (4). A St-Léonard-des-Bois, le manoir de Linthe (3 et 5).

4 △   5 ▽

LA CAMPAGNE D'ARGENTAN

Avant de s'enfoncer dans la Suisse Normande, l'Orne qui prend sa source au bas des collines percheronnes s'alanguit dans la douce campagne d'Argentan. Encadré en outre par la forêt d'Ecouves au sud et celle de Gouffern au nord, c'est un pays tout à fait démarqué des roches anciennes avoisinantes comme le montrent ses constructions : de la ferme banale au château le plus somptueux, c'est ici l'alliance de moellons de craie et de briques rouges, brève transition entre les colombages qui ornent la proche vallée de la Dives et les grès ou le granit employés plus à l'ouest. C'est aussi le mariage des champs de céréales et d'un bocage célèbre pour ses élevages de chevaux. Ces paysages bucoliques furent l'ultime champ de bataille de Normandie, quand la tenaille formée par les blindés américains et ceux de la 2ème D B de Leclerc se refermèrent le 21 août 1944, avec les forces canadiennes, sur les débris de la 7me armée allemande.

Argentan laissa dans ces combats tout ce que le passé lui avait légué, à l'exception des restes du château et des deux églises Saint-Germain et Saint-Martin, sauvées à grand peine par une restauration qui n'est pas encore achevée. Saint-Germain, commencée

La campagne près d'Argentan (1). Le Haras du Pin : bâtiments (2) et attelage (3).

2 △ 3 ▽

en 1410, fut seulement terminée deux siècles et demi plus tard, ce qui explique le mélange du gothique flamboyant et du style Renaissance, parfois étroitement imbriqués comme dans le triforium et la tour-clocher ; le chœur se termine de façon savante par une abside à quatre pans avec un double déambulatoire. Plus petite, Saint-Martin possède à peu près la même histoire et son architecture mêlée se distingue par un grand souci des proportions en même temps que du détail ; le chœur en est éclairé par de remarquables vitraux de la Renaissance.

Un autre héritage a survécu que l'on croyait perdu, celui du point d'Argentan et de la dentelle locale qui rivalisait avec la production alençonnaise : le secret de ce point a été retrouvé par hasard en 1864 dans un grenier de l'Hôtel de Ville avec les parchemins-patrons de la grande époque. L'exclusivité de cet ouvrage appartient maintenant aux moniales de l'abbaye bénédictine, gardiennes de la tradition dentellière dont elles présentent de beaux exemples.

Si Colbert est responsable du développement de la dentelle à Alençon et Argentan, le grand ministre est aussi à l'origine d'une activité toujours spectaculaire avec les Haras du Pin, fleurons du petit terroir du Merlerault. Après Sully qui avait établi dans la région un dépot d'étalons, Colbert créa en 1665 les haras d'état du Pin : les plans d'un château furent confiés à Jules Hardouin-Mansart et plus tard Le Nôtre dessina les terrasses, dominant la vallée de l'Ure, de ce temple du cheval. Le domaine constitue de nos jours un véritable conservatoire de l'élevage régional et ses écuries comprennent des étalons de huit races dont le pur-sang anglais, le trotteur français, créé aux haras, l'anglo-normand et l'anglo-arabe, chevaux de selle, le cob normand et le percheron, puissants animaux de travail qui émerveillaient La Varende : "Ces carènes énormes, ces jambes, ces croupes formidables, ces épaules monumentales, ces robes dont le pommelé grossit encore le cheval et fait écla-

1 △   2 ▽   3 △   4 ▽

ter sa jeunesse ! ». Alentours, les pays du Merlerault, de Gacé et d'Exmes, se consacrent à l'élevage d'animaux de boucherie et de chevaux, de même que Nonant-le-Pin qui s'honore par ailleurs d'être la patrie d'Alphonsine Plessis, l'inspiratrice de "la Traviata" et de la "Dame aux camélias".

La région d'Argentan porte aussi nombre de demeures prestigieuses, Argentelles, un manoir Renaissance sauvé de la ruine, Médavy, château du XVIIᵉ siècle, entouré de belles allées de tilleuls, Sassy, plus jeune d'un siècle, trônant au sommet de merveilleux parterres en broderies, le rude Chambois, témoin du Moyen Age ou encore le classique Bourg-Saint-Léonard avec son miroir d'eau. Semblables à de beaux brillants, ils entourent un des joyaux de la province, le château d'Ô. Sur une île de l'étang formé par la Thouanne près de

Mortrée, ce palais était à l'aube du XVIᵉ siècle la passion de François d'Ô, surintendant des finances et gouverneur de Paris : Sully, appelé à lui succéder pour rétablir les comptes du royaume, le disait "plus splendide dans ses équipages, ses meubles et sa table que le roi lui-même" et, de fait, le seigneur d'Ô mourut accablé de dettes après avoir tout consacré à son château. Les propriétaires suivants continuèrent d'embellir la demeure dont les trois ailes constituent la plus gracieuse des anthologies architecturales de Normandie.

De ses fenêtres, François d'Ô apercevait les flèches de la cathédrale de Sées, l'une des plus

Le manoir d'Argentelles (1 et 2). Le château de Médavy (3). Un salon du château de Mortrée (4). En pages suivantes : la façade nord de ce dernier.

anciennes cités épiscopales de France. Il émane une étrange atmosphère de sérénité de cette ville pieuse dont les couvents, le palais épiscopal, les séminaires, le musée d'art sacré et les sanctuaires mineurs font un silencieux cortège à l'immense vaisseau de la cathédrale. Celle-ci est la cinquième à s'être élevée au cœur du pays d'Essay, les batailles et une série d'effondrements ayant fait disparaître les précédentes. La cathédrale du XIIIᵉ siècle manqua de connaître le même sort en raison de l'instabilité du terrain et c'est pourquoi sa façade a été alourdie d'énormes contreforts. L'intérieur est par contre remarquable à tous égards, léger, éclairé par de belles verrières d'origine et disposant d'une acoustique extraordinaire, habilement secondée par les techniques audiovisuelles modernes pour des spectacles nocturnes de haute tenue.

1 △ 2 ▽

UN TERROIR ORIGINAL, LE PERCHE NORMAND

" Je suis Percheron, c'est-à-dire autre que Normand", disait le philosophe Alain, né à Mortagne. Le Perche est un coin de province très déterminé. Trouver les limites de ce "coin" n'est pas chose facile, le Maine, la Normandie, la Beauce ou l'Anjou n'ayant cessé de vouloir s'approprier ces collines boisées. Ce fut une petite principauté remuante, à l'image du grand rôle joué par les seigneurs de Bellême ou les Rotrou, comtes du Perche, et l'histoire en est assez échevelée jusqu'au "gentil duc" d'Alençon, Jean II, également comte du Perche. Après que ce compagnon de Jeanne d'Arc eut reconquis ses états, ce fut avec la paix une frénésie de construction en belle pierre blanche ocrée : de pittoresques gentilhommières remplacèrent les châteaux-forts, on embellit les églises dans le style flamboyant et une multitude de manoirs fleurirent sur les collines, souvent transformés en fermes par la suite. Ce pays original a des titres de gloire

Cadran solaire sur une tour d'angle à Mortagne (1). La basilique de La-Chapelle-Montligeon (2). Ferme et paysage du Perche normand (3). L'église St-Jean, à L'Aigle (4).

3 △   4 ▽

très divers et en premier lieu son cheval pommelé, hélas ! réduit à l'état de curiosité zoologique ; culinairement, on y est très attaché à la charcuterie sur laquelle règnent, incontestés, les boudins noirs, débités par kilomètres à la foire de Mortagne du mois de mars ; enfin, on aime à rappeler que du sang percheron coule dans les veines de chaque foyer du Canada français ou peu s'en faut, ces lointains cousins reconnaissant tirer du Perche "leurs meilleures qualités, stabilité, prudence, charité".

Mortagne monte la garde sur un éperon, archétype de la petite ville de province avec tout ce que cela comporte de savoureux et de chaleureux, de campagnard et de réjoui, dans un décor cossu d'échauguettes, de fenêtres à meneaux et de tuiles brunes. Inattendu, un Neptune Enfant chevauche une robuste monture de bronze dans les jardins de l'Hôtel de Ville, rappelant que Mortagne est plus que le fief de la Confrérie des Goûte-Boudin.

Comme tous les pays de bois, le Perche fut terre d'élection des moines. Une seule communauté percheronne a survécu à la Révolution, celle de la Grande Trappe à Soligny, près de Mortagne : sa fondation remonte à Rotrou III qui souhaitait favoriser le repos de l'âme de son épouse disparue dans le naufrage de la "Blanche Nef". Après divers malheurs, les Trappistes ont réintégré l'abbaye en 1814 et ils observent strictement la dure règle de l'abbé de Rancé.

Les nobles demeures du Perche, des châteaux aux fermes fortifiées, se comptent probablement par centaines, mais ce sont les manoirs aussi présents dans le paysage que ceux de Bretagne qui donnent son cachet à la contrée. La Vove en est l'exemple parfait, dressant une tour octogonale du XVe siècle, avec une tourelle d'escalier, une porte décorée et un toit d'ardoises, à l'angle des bâtiments de ferme anciens d'apparence très utilitaire. Les plus nombreux se trouvent autour de Nocé et de Rémalard, comme Courboyer aux belles poivrières couvertes de tuiles brunes du pays, Lormarin et la Lubinière avec trois tours chacun, l'Angenardière, le plus aristocratique grâce à une charmante galerie à l'italienne et une grosse tour à mâchicoulis flanquée d'une échauguette. A deux pas, les bâtiments de l'ancien prieuré de Sainte-Gauburge-de-la-Coudre sont ornés d'une tour de cinq pans délicatement décorée ce qui n'exclut pas une vocation agricole ; l'église adjacente, simple nef du XIIIe siècle ornée de belles sculptures, est d'un gothique très pur, caractéristique d'un terroir où la Renaissance s'est cantonnée au décor de l'intérieur des sanctuaires.

1 △ 2 ▽

LA VALLEE DE L'AVRE

Les collines du Perche, particulièrement arrosées, distribuent leurs rivières aux quatre horizons, la Sarthe et l'Huisne vers la Loire, l'Orne, la Dives, la Touques et la Risle, pas moins, vers la baie de Seine, enfin l'Iton et l'Avre qui se jettent dans l'Eure, elle aussi originaire de ces reliefs. Cette dernière échappe un temps à la région en filant arroser Chartres et c'est donc l'Avre qui fut choisie par un jeune roi réaliste et un Viking aux jambes trop longues pour continuer la frontière de l'Epte. Intimement liée en l'an 911 à cet acte de naissance du duché de Normandie, la modeste rivière a conservé son rôle, de façon plus ou moins guerrière, jusqu'à nos jours où elle coule des jours heureux en séparant encore deux régions.

Verneuil-sur-Avre était partie intégrante de ce fossé, son plan en porte témoignage. La Tour de la Madeleine, flamboyante, est l'âme de cette cité, d'autant plus qu'elle est accolée à une nef d'origine romane tellement dépouillée qu'en d'autres lieux elle pourrait figurer une grange dîmière, impression corrigée par un assez beau chœur gothique. Les quatre étages de la tour culminent par un double diadème de pierre qui n'est pas sans analogie avec la "tour de Beurre" de la cathédrale de Rouen ; elle a d'ailleurs été élevée de la même façon avec le produit des dispenses du Carême. Comme sa cousine prestigieuse, la tour de la Madeleine porte une abondante série de statues, et l'intérieur du sanctuaire est aussi riche avec des verrières et de beaux décors des XVe et XVIe siècles. Plus près de l'Avre, l'église Notre-Dame est une construction romane assez peu attrayante de l'extérieur mais qui abrite un véritable musée spécialement riche d'une statuaire du début du XVIe siècle. Enfin, la Tour Grise ainsi nommée à cause du "grison" qui en constitue les épaisses murailles est le reste du château d'Henri Beauclerc, un donjon cylindrique fort différent des tours anguleuses et à contreforts habituellement dressés à cette période.

Dans les environs de Verneuil, on note de belles églises, Pullay et Cintray, par exemple, et divers châteaux : Chambray est le plus majestueux tandis que les trois nobles demeures de Condé-sur-Iton sont assurément les plus originales, juxtaposant un château Renaissance, un classique et un moderne, agrémenté d'un splendide parc. Mais ce n'est pas sur l'Iton que se fit et se défit l'Histoire et il faut revenir à l'Avre et l'Eure pour suivre la vieille frontière normande.

A Conches-en-Houche, les ruines d'une tour médiévale (1). L'église de Tillières-sur-Avre (2). L'Avre, près de Verneuil (3).

Nonancourt a été fortifiée à partir de 1112 par Henri Ier et, à côté de l'église flamboyante Saint-Martin, les vestiges sont encore visibles du château où Richard-Cœur-de-Lion et Philippe-Auguste fixèrent les modalités de leur participation conjointe à la Troisième Croisade. Tillières-sur-Avre l'avait précédée d'un siècle sur cette ligne de défense grâce à Richard II de Normandie et, là encore, subsistent une tour et une porte du vieux château. Cette cité porte en outre l'empreinte de la dynastie ecclésiastique des Le Veneur et l'église Saint-Hilaire, sur une base romane remaniée en 1546 par l'un d'eux, est remarquable par son chœur et une chapelle attenante.

Après le confluent avec l'Eure, le dernier haut lieu de la région est bien entendu Ivry-la-Bataille, théâtre en 1590 de l'écrasement des Ligueurs de Mayenne, qu'Henri IV rendit fameux par son cri : "Ralliez vous à mon panache blanc".

Verneuil-sur-Avre : l'église de la Madeleine (1), un détail de la tour (2) et une fenêtre du XVIe siècle (3).

▷
3

1 △   2 ▽

couvents et deux abbayes sont rasés. Enfin, en 1940 aussi bien qu'en 1944, les bombes et les obus s'abattent sur Evreux qui brûle pendant une semaine. Malgré un tel passé, Evreux est pimpante, fleurie et ombragée, autour des joyaux que sont la cathédrale, l'ancien évêché, le beffroi et l'église Saint-Taurin.

Enjeu symbolique de chacun des affrontements, la cathédrale Notre-Dame est tout sauf un édifice homogène car les reconstructions se sont étalées du XIIᵉ au XVIIᵉ siècle ; néanmoins, les éléments de pierre très claire s'y combinent harmonieusement pour en faire un élégant ensemble. La base de la nef remonte à Henri Beauclerc, contraint par le pape Calixte II de rebâtir ce qu'il avait détruit, mais cette nef du XIIᵉ siècle, à nouveau brûlée, n'est reconstruite qu'en 1253. Plus tard, le chœur est agrandi, mais le sort s'acharne sur la cathédrale qui ne connaît sa première période faste qu'avec le règne de Louis XI, monarque très généreux pour la ville : le transept, la tour-lanterne surnommée "le clocher d'argent" et

A Evreux, la cathédrale et le musée (1), la Tour de l'Horloge (2). L'église du Pacy-sur-Eure (3) et le moulin de Cocherel (4).

EVREUX, TOUJOURS RENAISSANTE

Calme et fraîche dans les bras de l'Iton, Evreux fait une délicieuse escale normande proche de la capitale. Pourtant cette proximité même et l'importance stratégique de la vallée de l'Eure dans laquelle l'Iton ne tarde pas à se jeter, ont fait pleuvoir les calamités sur la ville depuis les temps les plus reculés. Les fouilles ont établi que le Vieil-Evreux, un peu à l'est sur le plateau, était déjà une ville importante quand elle fut saccagée par les Vandales ; puis la cité romaine qui fut, au centre d'un amphithéâtre de collines, l'ancêtre de la ville moderne, participa à la fortune de l'empire à l'abri d'une vaste enceinte. Les Francs de Clovis occupent Evreux dont l'évangélisation débute, mais Rollon la pille en 897. Un siècle plus tard, la ville devient le siège d'un comté normand : le roi de France soutenant le comte, Henri Beauclerc, la dévaste en 1119. Jean sans Terre profitant ensuite de la captivité de son frère Richard-Cœur-de-Lion, vend Evreux à Philippe-Auguste, mais, apprenant que Richard a été libéré, il fait traîtreusement massacrer les trois cents Français de la garnison et rend la place à son frère. Furieux, Philippe-Auguste met le siège, reprend la ville dont il fait passer au fil de l'épée tous les soldats anglais ainsi que les bourgeois pour faire bonne mesure et l'incendie !

Les malheurs de la douce cité reprennent avec la guerre de Cent Ans : le plus célèbre des comtes d'Evreux, Charles le Mauvais, roi de Navarre et prétendant au trône de France, la fait passer tour à tour chez les Français et les Anglais avant que Jean le Bon ne s'en empare et l'incendie à son tour. Vingt ans plus tard, en 1378, Du Guesclin ramène Evreux à la couronne mais la ville est ruinée par un nouvel incendie. Il faudra que Robert de Flocques la reprenne encore une fois aux Anglais en 1441 pour que la cité comtale retrouve la sérénité. Mais à la Révolution, six églises, deux

les vitraux merveilleusement limpides qui comptent parmi les plus beaux de France, datent de cette fin du XIVᵉ siècle. Le portail nord, perfection flamboyante, est achevé en 1504 et le XVIᵉ siècle complète le décor par les remarquables clôtures de bois des chapelles du déambulatoire. La cathédrale connaît son achèvement avec la parure des tours de façade dans le style Henri II : "Le Gros-Pierre" surnom affectueux donné à la tour nord, a ainsi été au XVIIᵉ siècle la dernière touche apportée à celle-ci.

Pareillement affecté par l'Histoire, l'ancien évêché qui a retrouvé son faste gothique abrite un musée et peut rivaliser avec les palais de Beauvais et de Rouen. Une des salles, souterraine, est bordée par l'enceinte primitive de la ville, ce qui est un décor idéal pour des collections remontant aux débuts de notre ère. Très élégante, elle aussi, la tour de l'Horloge du XVᵉ siècle, avec "la Louise", sa grosse cloche pesant deux tonnes, a échappé par bonheur aux bombardements. Un peu excentrée au bout de la rue Joséphine qui rappelle qu'Evreux fut donné en duché à l'impératrice répudiée, l'église Saint-Taurin mérite une visite pour ses magnifiques vitraux et surtout la chasse de son saint éponyme. En argent et en cuivre doré rehaussés d'émaux, ce chef-d'œuvre du XIIIᵉ siècle est une des plus belles pièces du genre que l'on connaisse.

La vallée de l'Eure, dont Evreux peut être considéré comme faisant partie, est depuis longtemps l'un des axes d'échanges privilégiés de la Normandie et en même temps, près des portes de la capitale, une sorte de Val de Loire très séduisant. Après les luttes franco-anglaises, les châteaux de plaisance ont joué de ces rives avec délectation : Saint-Georges-Motel et son grand parc, l'illustre Anet sur la rive d'Ile-de-France, la Folletière à Neuilly, Breuilpont, Chambray, Heudreville ou encore le délicieux Acquigny sont un entr'acte raffiné dans les rudes forteresses que la Normandie naissante disposa au long de ses frontières de l'Epte et de l'Avre. Entre Gisors et Verneuil, ce chapelet de nobles constructions symbolise bien une province qui s'est toujours servi de la pierre pour affirmer son identité avec autant de passion que de talent. Et ces vallées bucoliques si souvent agitées du fracas des armes disent par-dessus tout comment une race incomparable parvint jusqu'au creuset d'où sortit la nation française.

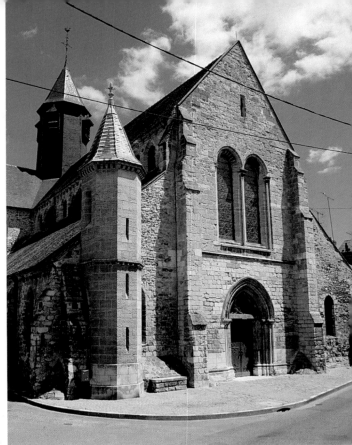

3 △ 4 ▽